하루 10분 서술형/문장제 학습지

수학 독해

E2

분수와 소수

초5~초6

씨투엠

수학독해 : 수학을 스스로 읽고 해결하다

객관식이나 간단한 단답형 문제는 자신 있는데 긴 문장이나 풀이 과정을 쓰라는 문제는 어려워하는 아이들이 있어요. 빠르고 정확하게 연산하고 교과 응용문제까지도 곧잘 풀어내지만, 문제 속 상황이 약간만 복잡해지면 문제를 풀려고도 하지 않는 아이들도 많아요. 이러한 아이들에게 부족한 것은 연산 능력이나 문제 해결력보다는 독해력과 표현력입니다. 특히 수학적 텍스트를 이해하고 표현하는 능력, 즉 수학 독해력이지요.

요즘 아이들의 독해력이 약해진 가장 큰 이유는 과거에 비해 이야기를 만나는 방식이 다양해졌기 때문이에요. 예전에는 대부분 말이나 글로써만 이야기를 접했어요. 텍스트 위주로 여러 가지 사건을 간접 체험하고, 머릿 속으로 상황을 그려내는 훈련이 자연스럽게 이루어졌지요. 반면 요즘 아이들은 글보다도 TV나 스마트폰 등 영상매체에 훨씬 빨리, 자주 노출되기에 글을 통해 상상을 할 필요가 점점 없어지게 되었습니다.

그렇다고 아이들에게 어렸을 때부터 영화나 애니메이션을 못 보게 하고 책만 읽게 하는 것은 바람직하지 않고, 가능하지도 않아요. 시각 매체는 그 자체로 많은 장점이 있기 때문에 지금의 아이들은 예전 세대에 비해 이미지에 대한 이해력과 적용력이 매우 뛰어나답니다. 문제는 아직까지 모든 학습과 평가 방식이 여전히 텍스트 위주이기 때문에 지금도 아이들에게 독해력이 중요하다는 점이에요. 그래서 저희는 영상 매체에는 익숙하지만 말이나 글에는 약한 아이들을 위한 새로운 수학 독해력 향상 프로그램인 씨투엠 수학독해를 기획하게 되었어요.

씨투엠 수학독해는 기존 문장제/서술형 교재들보다 더욱 쉽고 간단한 학습법을 보여주려 해요. 문제에 있는 문장과 표현 하나하나마다 따로 접근하여 아이들이 어려워하는 포인트를 찾고, 각 포인트마다 직관적인 활동을 통해 독해력과 표현력을 차근차근 끌어올리려고 합니다. 또한 문제 이해와 풀이 서술 과정을 단계별로 세세하게 나누어 문장제, 서술형 문제를 부담 없이 체계적으로 연습할 수 있어요. 새로운 문장제 학습법인 씨투엠 수학독해가 문장제 문제에 특히 어려움을 겪고 있거나 앞으로 서술형 문제를 좀 더 잘 대비하고 싶은 아이들에게 큰 도움이 될 것이라 자신합니다.

씨투엠

수학독해의 구성과 특징

- 매일 부담없이 2쪽씩, 하루 10분 문장제 학습
- 매주 5일간 단계별 활동, 6일차는 중요 문장제 확인학습
- 5회분의 진단평가로 테스트 및 복습

주차별 구성

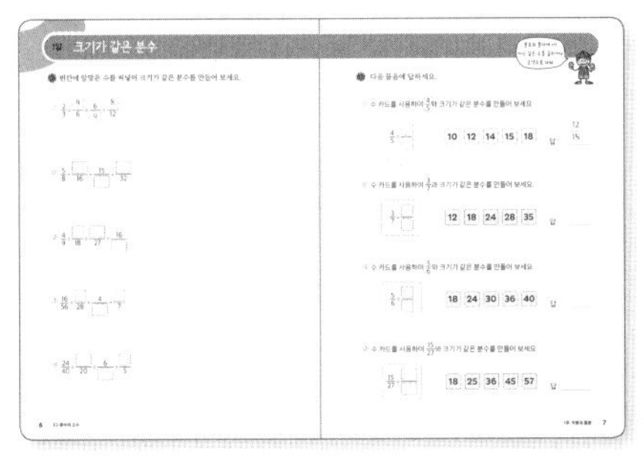

일일학습

꼬마 수학자들의 간단한 팁과 함께 매일 새롭게 만나는 단계별 문장제 활동

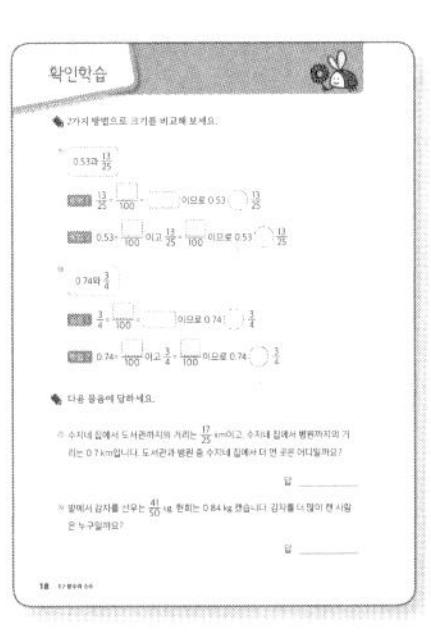

확인학습

중요 문장제 활동을 다시 한번 확인하며 주차 학습 마무리

	1일	2일	3일	4일	5일	확인학습
1주차	6쪽 ~ 7쪽	8쪽 ~ 9쪽	10쪽 ~ 11쪽	12쪽 ~ 13쪽	14쪽 ~ 15쪽	16쪽 ~ 18쪽
2주차	20쪽 ~ 21쪽	22쪽 ~ 23쪽	24쪽 ~ 25쪽	26쪽 ~ 27쪽	28쪽 ~ 29쪽	30쪽 ~ 32쪽
3주차	34쪽 ~ 35쪽	36쪽 ~ 37쪽	38쪽 ~ 39쪽	40쪽 ~ 41쪽	42쪽 ~ 43쪽	44쪽 ~ 46쪽
4주차	48쪽 ~ 49쪽	50쪽 ~ 51쪽	52쪽 ~ 53쪽	54쪽 ~ 55쪽	56쪽 ~ 57쪽	58쪽 ~ 60쪽

진단평가 구성

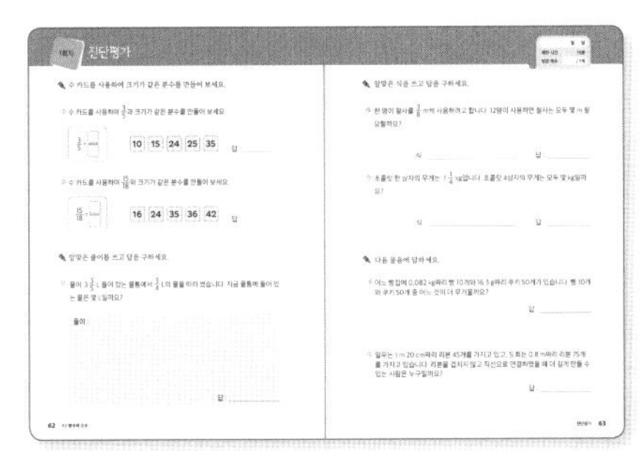

진단평가

4주 간의 문장제 학습에서 부족한 부분을 확인하고 복습하기 위한 자가 진단 테스트

	1회	2회	3회	4회	5회
진단평가	62쪽 ~ 63쪽	64쪽 ~ 65쪽	66쪽 ~ 67쪽	68쪽 ~ 69쪽	70쪽 ~ 71쪽

이 책의 차례

1 주차	약분과 통분	5
2 주차	분수의 덧셈과 뺄셈	19
3 주차	분수의 곱셈	33
4 주차	소수의 곱셈	47
진단평가		61

1주차

약분과 통분

1일 크기가 같은 분수 ········· 06

2일 약분 ········· 08

3일 통분 ········· 10

4일 분수의 크기 비교 ········· 12

5일 분수와 소수의 크기 비교 ········· 14

확인학습 ········· 16

1일 크기가 같은 분수

빈칸에 알맞은 수를 써넣어 크기가 같은 분수를 만들어 보세요.

✪ $\frac{2}{3}=\frac{\boxed{4}}{6}=\frac{6}{\boxed{9}}=\frac{\boxed{8}}{12}$

① $\frac{5}{8}=\frac{\square}{16}=\frac{15}{\square}=\frac{\square}{32}$

② $\frac{4}{9}=\frac{\square}{18}=\frac{\square}{27}=\frac{16}{\square}$

③ $\frac{16}{56}=\frac{\square}{28}=\frac{4}{\square}=\frac{\square}{7}$

④ $\frac{24}{40}=\frac{\square}{20}=\frac{6}{\square}=\frac{\square}{5}$

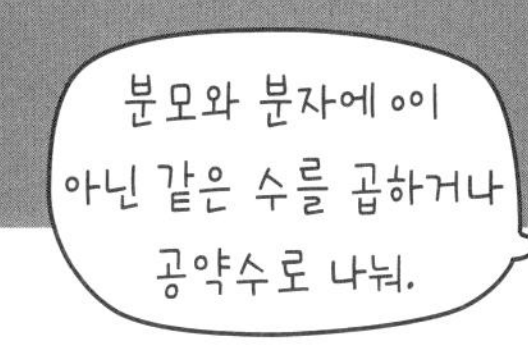

다음 물음에 답하세요.

✪ 수 카드를 사용하여 $\frac{4}{5}$와 크기가 같은 분수를 만들어 보세요.

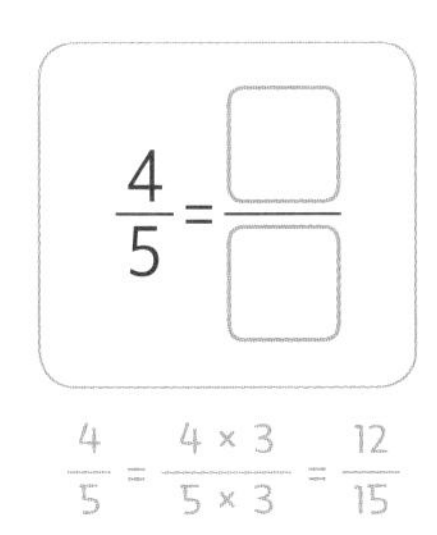

$\frac{4}{5} = \frac{\square}{\square}$

10 **12** **14** **15** **18**

답 : $\frac{12}{15}$

$\frac{4}{5} = \frac{4 \times 3}{5 \times 3} = \frac{12}{15}$

① 수 카드를 사용하여 $\frac{3}{7}$과 크기가 같은 분수를 만들어 보세요.

$\frac{3}{7} = \frac{\square}{\square}$

12 **18** **24** **28** **35**

답 : ____________

② 수 카드를 사용하여 $\frac{5}{6}$와 크기가 같은 분수를 만들어 보세요.

$\frac{5}{6} = \frac{\square}{\square}$

18 **24** **30** **36** **40**

답 : ____________

③ 수 카드를 사용하여 $\frac{15}{27}$와 크기가 같은 분수를 만들어 보세요.

$\frac{15}{27} = \frac{\square}{\square}$

18 **25** **36** **45** **57**

답 : ____________

2일 약분

분수를 기약분수로 나타내려고 합니다. 빈칸에 알맞은 수를 써넣으세요.

✪ $\frac{4}{10}=\frac{4\div\boxed{2}}{10\div\boxed{2}}=\frac{\boxed{2}}{\boxed{5}}$이므로 $\frac{4}{10}$를 기약분수로 나타내면 $\frac{\boxed{2}}{\boxed{5}}$입니다.

① $\frac{12}{18}=\frac{12\div\square}{18\div\square}=\frac{\square}{\square}$이므로 $\frac{12}{18}$를 기약분수로 나타내면 $\frac{\square}{\square}$입니다.

② $\frac{16}{28}=\frac{16\div\square}{28\div\square}=\frac{\square}{\square}$이므로 $\frac{16}{28}$을 기약분수로 나타내면 $\frac{\square}{\square}$입니다.

③ $\frac{45}{54}=\frac{45\div\square}{24\div\square}=\frac{\square}{\square}$이므로 $\frac{45}{54}$를 기약분수로 나타내면 $\frac{\square}{\square}$입니다.

④ $\frac{56}{96}=\frac{56\div\square}{96\div\square}=\frac{\square}{\square}$이므로 $\frac{56}{96}$을 기약분수로 나타내면 $\frac{\square}{\square}$입니다.

분모와 분자를 두 수의
최대공약수로 나누면
기약분수가 돼.

다음 물음에 답하세요.

☆ $\frac{9}{16}$보다 작은 분수 중에서 분모가 16인 기약분수는 모두 몇 개일까요?

$\frac{9}{16}$보다 작은 분수는 $\frac{1}{16}$, $\frac{2}{16}$, $\frac{3}{16}$, $\frac{4}{16}$, $\frac{5}{16}$, $\frac{6}{16}$, $\frac{7}{16}$, $\frac{8}{16}$
이 중에서 기약분수는 $\frac{1}{16}$, $\frac{3}{16}$, $\frac{5}{16}$, $\frac{7}{16}$

답 : 4개

① $\frac{8}{12}$보다 작은 분수 중에서 분모가 12인 기약분수는 모두 몇 개일까요?

답 : ____________

② $\frac{7}{15}$보다 큰 진분수 중에서 분모가 15인 기약분수는 모두 몇 개일까요?

답 : ____________

③ $\frac{13}{24}$보다 큰 진분수 중에서 분모가 24인 기약분수는 모두 몇 개일까요?

답 : ____________

3일 통분

2가지 방법으로 통분해 보세요.

☆ 방법 1 $\left(\frac{3}{4}, \frac{1}{6}\right) \Rightarrow \left(\frac{3 \times \boxed{6}}{4 \times 6}, \frac{1 \times \boxed{4}}{6 \times \boxed{4}}\right) \Rightarrow \left(\frac{\boxed{18}}{24}, \frac{\boxed{4}}{\boxed{24}}\right)$

방법 2 $\left(\frac{3}{4}, \frac{1}{6}\right) \Rightarrow \left(\frac{3 \times \boxed{3}}{4 \times 3}, \frac{1 \times \boxed{2}}{6 \times \boxed{2}}\right) \Rightarrow \left(\frac{\boxed{9}}{12}, \frac{\boxed{2}}{\boxed{12}}\right)$

① 방법 1 $\left(\frac{5}{12}, \frac{2}{3}\right) \Rightarrow \left(\frac{5 \times \square}{12 \times 3}, \frac{2 \times \square}{3 \times \square}\right) \Rightarrow \left(\frac{\square}{36}, \frac{\square}{\square}\right)$

방법 2 $\left(\frac{5}{12}, \frac{2}{3}\right) \Rightarrow \left(\frac{5 \times \square}{12 \times 1}, \frac{2 \times \square}{3 \times \square}\right) \Rightarrow \left(\frac{\square}{12}, \frac{\square}{\square}\right)$

② 방법 1 $\left(\frac{5}{6}, \frac{8}{9}\right) \Rightarrow \left(\frac{5 \times \square}{6 \times 9}, \frac{8 \times \square}{9 \times \square}\right) \Rightarrow \left(\frac{\square}{54}, \frac{\square}{\square}\right)$

방법 2 $\left(\frac{5}{6}, \frac{8}{9}\right) \Rightarrow \left(\frac{5 \times \square}{6 \times 3}, \frac{8 \times \square}{9 \times \square}\right) \Rightarrow \left(\frac{\square}{18}, \frac{\square}{\square}\right)$

③ 방법 1 $\left(\frac{5}{8}, \frac{7}{12}\right) \Rightarrow \left(\frac{5 \times \square}{8 \times 12}, \frac{7 \times \square}{12 \times \square}\right) \Rightarrow \left(\frac{\square}{96}, \frac{\square}{\square}\right)$

방법 2 $\left(\frac{5}{8}, \frac{7}{12}\right) \Rightarrow \left(\frac{5 \times \square}{8 \times 3}, \frac{7 \times \square}{12 \times \square}\right) \Rightarrow \left(\frac{\square}{24}, \frac{\square}{\square}\right)$

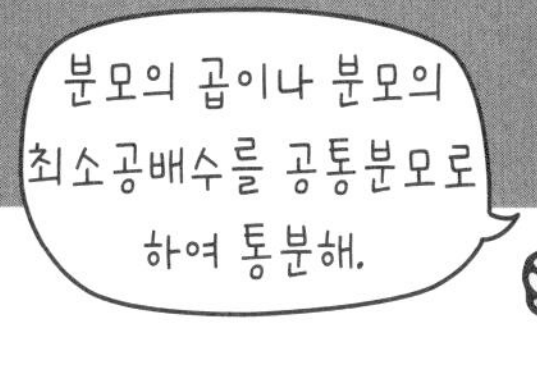

분모의 곱이나 분모의
최소공배수를 공통분모로
하여 통분해.

다음 물음에 답하세요.

✪ $\frac{5}{8}$와 $\frac{5}{6}$ 사이에 있는 분수 중에서 분모가 24인 분수는 모두 몇 개일까요?

두 분수를 통분하면 $\left(\frac{5}{8}, \frac{5}{6}\right) \Rightarrow \left(\frac{15}{24}, \frac{20}{24}\right)$
두 분수 사이의 분수는 $\frac{16}{24}, \frac{17}{24}, \frac{18}{24}, \frac{19}{24}$

답 : 4개

① $\frac{1}{3}$과 $\frac{3}{5}$ 사이에 있는 분수 중에서 분모가 15인 분수는 모두 몇 개일까요?

답 : ______

② $\frac{5}{8}$보다 크고 $\frac{7}{10}$보다 작은 분수 중에서 분모가 80인 분수는 모두 몇 개일까요?

답 : ______

③ $\frac{4}{9}$와 $\frac{11}{18}$ 사이에 있는 분수 중에서 분모가 36인 기약분수는 모두 몇 개일까요?

답 : ______

4일 분수의 크기 비교

□ 안에 알맞은 수를 써넣고, ○ 안에 >, <를 알맞게 써넣으세요.

✪ $\left(\frac{5}{12}, \frac{4}{9}\right) \Rightarrow \left(\frac{15}{36}, \frac{16}{36}\right) \Rightarrow \frac{5}{12} < \frac{4}{9}$

① $\left(\frac{2}{5}, \frac{3}{10}\right) \Rightarrow \left(\frac{\square}{10}, \frac{\square}{10}\right) \Rightarrow \frac{2}{5} \bigcirc \frac{3}{10}$

② $\left(\frac{3}{4}, \frac{5}{6}\right) \Rightarrow \left(\frac{\square}{12}, \frac{\square}{12}\right) \Rightarrow \frac{3}{4} \bigcirc \frac{5}{6}$

③ $\left(\frac{8}{15}, \frac{11}{20}\right) \Rightarrow \left(\frac{\square}{60}, \frac{\square}{\square}\right) \Rightarrow \frac{8}{15} \bigcirc \frac{11}{20}$

④ $\left(\frac{3}{8}, \frac{7}{18}\right) \Rightarrow \left(\frac{\square}{72}, \frac{\square}{\square}\right) \Rightarrow \frac{3}{8} \bigcirc \frac{7}{18}$

다음 물음에 답하세요.

✪ 진주는 분홍색 리본을 $\frac{6}{7}$m, 노란색 리본을 $\frac{8}{9}$m 가지고 있습니다. 두 리본 중 더 긴 리본은 무엇일까요?

$\left(\frac{6}{7}, \frac{8}{9}\right) \Rightarrow \left(\frac{54}{63}, \frac{56}{63}\right) \Rightarrow \frac{6}{7} < \frac{8}{9}$

답 : 노란색 리본

① 체험 학습에서 딸기를 소진이는 $\frac{2}{3}$ kg, 영호는 $\frac{7}{9}$ kg을 땄습니다. 딸기를 더 많이 딴 사람은 누구일까요?

답 : ________

② 부엌에 소금이 $\frac{5}{9}$ kg, 설탕이 $\frac{6}{11}$ kg 있습니다. 더 적게 있는 것은 무엇일까요?

답 : ________

③ 동호는 어제 $\frac{7}{12}$시간, 오늘 $\frac{5}{8}$시간 동안 축구를 했습니다. 어제와 오늘 중에서 축구를 더 많이 한 날은 언제일까요?

답 : ________

5일 분수와 소수의 크기 비교

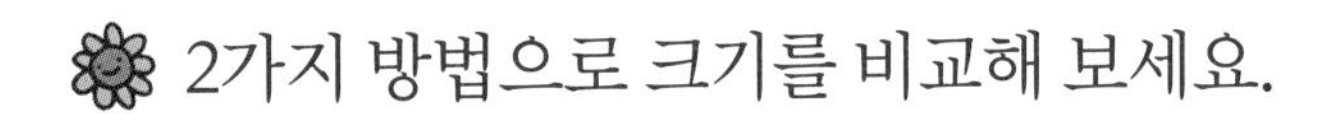

2가지 방법으로 크기를 비교해 보세요.

☆ 0.7과 $\frac{3}{5}$

방법 1 $\frac{3}{5}=\frac{6}{10}=$ 0.6 이므로 0.7 $>$ $\frac{3}{5}$

방법 2 $0.7=\frac{7}{10}$이고 $\frac{3}{5}=\frac{6}{10}$이므로 0.7 $>$ $\frac{3}{5}$

① 0.75와 $\frac{39}{50}$

방법 1 $\frac{39}{50}=\frac{\square}{100}=\square$ 이므로 0.75 ◯ $\frac{39}{50}$

방법 2 $0.75=\frac{\square}{100}$ 이고 $\frac{39}{50}=\frac{\square}{100}$이므로 0.75 ◯ $\frac{39}{50}$

② 0.26과 $\frac{1}{4}$

방법 1 $\frac{1}{4}=\frac{\square}{100}=\square$ 이므로 0.26 ◯ $\frac{1}{4}$

방법 2 $0.26=\frac{\square}{100}$이고 $\frac{1}{4}=\frac{\square}{100}$이므로 0.26 ◯ $\frac{1}{4}$

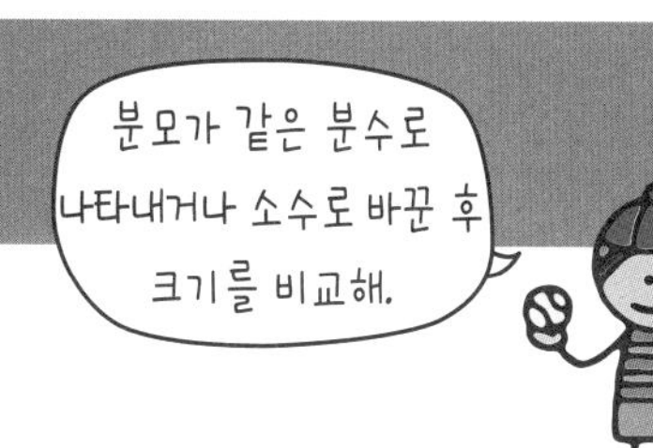

분모가 같은 분수로
나타내거나 소수로 바꾼 후
크기를 비교해.

다음 물음에 답하세요.

✪ 서희네 집에서 학교까지의 거리는 $\frac{13}{20}$ km이고, 서희네 집에서 우체국까지의 거리는 0.6 km입니다. 학교와 우체국 중 서희네 집에서 더 먼 곳은 어디일까요?

$\frac{13}{20} = \frac{65}{100} = 0.65$이므로 $\frac{13}{20} > 0.6$

답 : 학교

① 포도를 정민이는 $\frac{23}{50}$ kg, 효범이는 0.48 kg을 땄습니다. 포도를 더 많이 딴 사람은 누구일까요?

답 :

② 원희는 과자 한 봉지를 만드는 데 밀가루를 $\frac{5}{8}$ kg 사용하였고, 빵 한 개를 만드는 데 밀가루를 0.72 kg 사용하였습니다. 과자와 빵 중에서 어느 것을 만드는 데 밀가루를 더 많이 사용했나요?

답 :

③ 비가 어제는 0.14 cm 내렸고, 오늘은 $\frac{4}{25}$ cm 내렸습니다. 어제와 오늘 중에서 비가 더 적게 내린 날은 언제일까요?

답 :

확인학습

답 : ________

② 수 카드를 사용하여 $\frac{5}{7}$와 크기가 같은 분수를 만들어 보세요.

답 : ________

다음 물음에 답하세요.

③ $\frac{7}{10}$보다 작은 분수 중에서 분모가 10인 기약분수는 모두 몇 개일까요?

답 : ________

④ $\frac{5}{18}$보다 큰 진분수 중에서 분모가 18인 기약분수는 모두 몇 개일까요?

답 : ________

다음 물음에 답하세요.

⑤ $\frac{1}{4}$과 $\frac{5}{6}$ 사이에 있는 분수 중에서 분모가 12인 분수는 모두 몇 개일까요?

답 : ____________

⑥ $\frac{3}{7}$보다 크고 $\frac{9}{14}$보다 작은 분수 중에서 분모가 28인 분수는 모두 몇 개일까요?

답 : ____________

다음 물음에 답하세요.

⑦ 새롬이는 굵은 철사 $\frac{7}{8}$ m, 가는 철사 $\frac{9}{11}$ m를 가지고 있습니다. 두 철사 중 더 긴 철사는 무엇일까요?

답 : ____________

⑧ 과수원에서 방울 토마토를 호길이는 $\frac{3}{4}$ kg, 주현이는 $\frac{7}{9}$ kg을 땄습니다. 방울 토마토를 더 많이 딴 사람은 누구일까요?

답 : ____________

확인학습

2가지 방법으로 크기를 비교해 보세요.

⑨ 0.53과 $\frac{13}{25}$

방법 1 $\frac{13}{25}=\frac{\square}{100}=\square$ 이므로 0.53 ◯ $\frac{13}{25}$

방법 2 $0.53=\frac{\square}{100}$ 이고 $\frac{13}{25}=\frac{\square}{100}$ 이므로 0.53 ◯ $\frac{13}{25}$

⑩ 0.74와 $\frac{3}{4}$

방법 1 $\frac{3}{4}=\frac{\square}{100}=\square$ 이므로 0.74 ◯ $\frac{3}{4}$

방법 2 $0.74=\frac{\square}{100}$ 이고 $\frac{3}{4}=\frac{\square}{100}$ 이므로 0.74 ◯ $\frac{3}{4}$

다음 물음에 답하세요.

⑪ 수지네 집에서 도서관까지의 거리는 $\frac{17}{25}$ km이고, 수지네 집에서 병원까지의 거리는 0.7 km입니다. 도서관과 병원 중 수지네 집에서 더 먼 곳은 어디일까요?

답 : ____________

⑫ 밭에서 감자를 선우는 $\frac{41}{50}$ kg, 현희는 0.84 kg 캤습니다. 감자를 더 많이 캔 사람은 누구일까요?

답 : ____________

2주차

분수의 덧셈과 뺄셈

1일 분수의 덧셈(1) ······ 20

2일 분수의 덧셈(2) ······ 22

3일 분수의 뺄셈(1) ······ 24

4일 분수의 뺄셈(2) ······ 26

5일 분수의 덧셈과 뺄셈 ······ 28

확인학습 ······ 30

1일 분수의 덧셈(1)

2가지 방법으로 계산해 보세요.

☆ 방법 1 $\frac{3}{4}+\frac{5}{6}=\frac{3\times\boxed{6}}{4\times 6}+\frac{5\times\boxed{4}}{6\times\boxed{4}}=\frac{\boxed{18}}{24}+\frac{\boxed{20}}{24}$

$=\frac{\boxed{38}}{24}=\boxed{1}\frac{\boxed{14}}{24}=\boxed{1}\frac{\boxed{7}}{12}$

방법 2 $\frac{3}{4}+\frac{5}{6}=\frac{3\times\boxed{3}}{4\times 3}+\frac{5\times\boxed{2}}{6\times\boxed{2}}=\frac{\boxed{9}}{12}+\frac{\boxed{10}}{12}=\frac{\boxed{19}}{12}=\boxed{1}\frac{\boxed{7}}{12}$

① 방법 1 $\frac{1}{6}+\frac{3}{8}=\frac{1\times\square}{6\times 8}+\frac{3\times\square}{8\times\square}=\frac{\square}{48}+\frac{\square}{48}=\frac{\square}{48}=\frac{\square}{\square}$

방법 2 $\frac{1}{6}+\frac{3}{8}=\frac{1\times\square}{6\times 4}+\frac{3\times\square}{8\times\square}=\frac{\square}{24}+\frac{\square}{24}=\frac{\square}{24}$

② 방법 1 $\frac{5}{8}+\frac{7}{12}=\frac{5\times\square}{8\times 12}+\frac{7\times\square}{12\times\square}=\frac{\square}{96}+\frac{\square}{96}$

$=\frac{\square}{96}=\square\frac{\square}{96}=\square\frac{\square}{\square}$

방법 2 $\frac{5}{8}+\frac{7}{12}=\frac{5\times\square}{8\times 3}+\frac{7\times\square}{12\times\square}=\frac{\square}{24}+\frac{\square}{24}=\frac{\square}{24}=\square\frac{\square}{24}$

두 분모의 곱 또는
최소공배수를 공통분모로
하여 통분한 후 계산해.

알맞은 식을 쓰고 답을 구하세요.

진희는 오늘 오전에 $\frac{1}{4}$L의 우유를 마시고 오후에 $\frac{5}{6}$L의 우유를 마셨습니다. 진희가 오늘 마신 우유는 모두 몇 L 일까요?

식 : $\frac{1}{4}+\frac{5}{6}=1\frac{1}{12}$ 답 : $1\frac{1}{12}$ L

(오늘 마신 우유의 양)
= (오전에 마신 우유의 양) + (오후에 마신 우유의 양)

① 길이가 $\frac{1}{5}$ m인 초록색 끈과 $\frac{2}{7}$ m인 빨간색 끈을 겹치지 않게 이었습니다. 이은 색 끈의 길이는 모두 몇 m일까요?

식 : ______________ 답 : ______________

② 지율이는 훌라후프를 $\frac{1}{6}$시간 동안 연습하였고, 수현이는 $\frac{3}{4}$시간 동안 연습하였습니다. 두 사람이 훌라후프를 연습한 시간은 모두 몇 시간일까요?

식 : ______________ 답 : ______________

③ 주말농장에서 고구마를 소민이는 $\frac{5}{12}$ kg 캤고, 준정이는 $\frac{7}{9}$ kg 캤습니다. 소민이와 준정이가 캔 고구마는 모두 몇 kg일까요?

식 : ______________ 답 : ______________

2일 분수의 덧셈(2)

2가지 방법으로 계산해 보세요.

✪ 방법 1 $2\frac{3}{5}+1\frac{2}{3}=2\frac{9}{15}+1\frac{10}{15}=(2+\boxed{1})+\left(\frac{9}{15}+\frac{10}{15}\right)$

$=\boxed{3}+\frac{19}{15}=\boxed{3}+\boxed{1}\frac{4}{15}=\boxed{4}\frac{4}{15}$

방법 2 $2\frac{3}{5}+1\frac{2}{3}=\frac{13}{5}+\frac{5}{3}=\frac{39}{15}+\frac{25}{15}=\frac{64}{15}=\boxed{4}\frac{4}{15}$

① 방법 1 $1\frac{2}{5}+2\frac{4}{7}=1\frac{\square}{35}+2\frac{\square}{35}=(1+\square)+\left(\frac{\square}{35}+\frac{\square}{35}\right)$

$=\square+\frac{\square}{35}=\square\frac{\square}{35}$

방법 2 $1\frac{2}{5}+2\frac{4}{7}=\frac{\square}{5}+\frac{\square}{7}=\frac{\square}{35}+\frac{\square}{35}=\frac{\square}{35}=\square\frac{\square}{35}$

② 방법 1 $3\frac{1}{4}+1\frac{5}{6}=3\frac{\square}{12}+1\frac{\square}{12}=(3+\square)+\left(\frac{\square}{12}+\frac{\square}{12}\right)$

$=\square+\frac{\square}{12}=\square+\square\frac{\square}{12}=\square\frac{\square}{12}$

방법 2 $3\frac{1}{4}+1\frac{5}{6}=\frac{\square}{4}+\frac{\square}{6}=\frac{\square}{12}+\frac{\square}{12}=\frac{\square}{12}=\square\frac{\square}{12}$

자연수와 분수를 각각
계산하거나 가분수로
고친 후 계산해.

 알맞은 식을 쓰고 답을 구하세요.

✪ 리본을 잘랐더니 한 도막은 $2\frac{3}{4}$m 이고 다른 한 도막은 $1\frac{4}{9}$m 였습니다. 처음 리본의 길이는 몇 m일까요?

식 : $2\frac{3}{4} + 1\frac{4}{9} = 4\frac{7}{36}$　　답 : $4\frac{7}{36}$ m

(처음 리본의 길이)
= (한 도막의 길이) + (다른 한 도막의 길이)

① 현정이네 집에서 학교까지의 거리는 $3\frac{1}{3}$ km이고, 학교에서 주민센터까지의 거리는 $2\frac{1}{5}$ km입니다. 현정이네 집에서 학교를 거쳐 주민센터까지 가는 거리는 몇 km 일까요?

식 : ______________　　답 : __________

② 운동을 세형이는 $1\frac{5}{6}$시간 동안 했고, 명진이는 세형이보다 $1\frac{1}{4}$시간 더 했습니다. 명진이가 운동을 한 시간은 몇 시간일까요?

식 : ______________　　답 : __________

③ 가로가 $3\frac{8}{9}$ cm이고 세로가 $4\frac{1}{6}$ cm인 직사각형이 있습니다. 이 직사각형의 가로와 세로의 합은 몇 cm일까요?

식 : ______________　　답 : __________

3일 분수의 뺄셈(1)

2가지 방법으로 계산해 보세요.

☆ 방법 1 $\frac{5}{8}-\frac{1}{6}=\frac{5\times\boxed{6}}{8\times6}-\frac{1\times\boxed{8}}{6\times\boxed{8}}=\frac{\boxed{30}}{48}-\frac{\boxed{8}}{48}=\frac{\boxed{22}}{48}=\frac{\boxed{11}}{\boxed{24}}$

방법 2 $\frac{5}{8}-\frac{1}{6}=\frac{5\times\boxed{3}}{8\times3}-\frac{1\times\boxed{4}}{6\times\boxed{4}}=\frac{\boxed{15}}{24}-\frac{\boxed{4}}{24}=\frac{\boxed{11}}{24}$

① 방법 1 $\frac{3}{4}-\frac{1}{10}=\frac{3\times\square}{4\times10}-\frac{1\times\square}{10\times\square}=\frac{\square}{40}-\frac{\square}{40}=\frac{\square}{40}=\frac{\square}{\square}$

방법 2 $\frac{3}{4}-\frac{1}{10}=\frac{3\times\square}{4\times5}-\frac{1\times\square}{10\times\square}=\frac{\square}{20}-\frac{\square}{20}=\frac{\square}{20}$

② 방법 1 $\frac{5}{12}-\frac{3}{8}=\frac{5\times\square}{12\times8}-\frac{3\times\square}{8\times\square}=\frac{\square}{96}-\frac{\square}{96}=\frac{\square}{96}=\frac{\square}{\square}$

방법 2 $\frac{5}{12}-\frac{3}{8}=\frac{5\times\square}{12\times2}-\frac{3\times\square}{8\times\square}=\frac{\square}{24}-\frac{\square}{24}=\frac{\square}{24}$

두 분모의 곱 또는 최소
공배수를 공통분모로 하여
통분한 후 계산해.

알맞은 식을 쓰고 답을 구하세요.

장식품을 만드는 데 철사를 지은이는 $\frac{1}{4}$ m 사용하고, 민성이는 $\frac{5}{6}$ m 사용하였습니다. 민성이는 지은이보다 철사를 몇 m 더 사용하였을까요?

식 : $\frac{5}{6}-\frac{1}{4}=\frac{7}{12}$ 답 : $\frac{7}{12}$ m

(더 사용한 철사의 양)
=(민성이가 사용한 철사의 양) - (지은이가 사용한 철사의 양)

① 페인트 $\frac{7}{12}$ L 중에서 $\frac{4}{9}$ L를 사용하였습니다. 남은 페인트는 몇 L 일까요?

식 : ______________ 답 : ______________

② 설탕이 ㉮ 그릇에는 $\frac{5}{6}$ kg 들어 있고, ㉯ 그릇에는 $\frac{1}{9}$ kg 들어 있습니다. ㉮ 그릇에 있는 설탕은 ㉯ 그릇에 있는 설탕보다 몇 kg 더 많이 들어 있을까요?

식 : ______________ 답 : ______________

③ 지연이와 현성이가 달리기를 했습니다. 지연이는 $\frac{9}{10}$ km를 달렸고, 현성이는 $\frac{5}{8}$ km를 달렸습니다. 지연이는 현성이보다 몇 km 더 달렸을까요?

식 : ______________ 답 : ______________

4일 분수의 뺄셈(2)

2가지 방법으로 계산해 보세요.

☆ 방법 1 $4\frac{1}{2}-1\frac{5}{7}=4\frac{7}{14}-1\frac{10}{14}=3\frac{21}{14}-1\frac{10}{14}$

$=(3-1)+\left(\frac{21}{14}-\frac{10}{14}\right)=2+\frac{11}{14}=2\frac{11}{14}$

방법 2 $4\frac{1}{2}-1\frac{5}{7}=\frac{9}{2}-\frac{12}{7}=\frac{63}{14}-\frac{24}{14}=\frac{39}{14}=2\frac{11}{14}$

① 방법 1 $3\frac{5}{6}-2\frac{2}{9}=3\frac{\square}{18}-2\frac{\square}{18}=(3-\square)+\left(\frac{\square}{18}-\frac{\square}{18}\right)$

$=\square+\frac{\square}{18}=\square\frac{\square}{18}$

방법 2 $3\frac{5}{6}-2\frac{2}{9}=\frac{\square}{6}-\frac{\square}{9}=\frac{\square}{18}-\frac{\square}{18}=\frac{\square}{18}=\square\frac{\square}{18}$

② 방법 1 $3\frac{1}{6}-1\frac{3}{8}=3\frac{\square}{24}-1\frac{\square}{24}=2\frac{\square}{24}-1\frac{\square}{24}$

$=(2-\square)+\left(\frac{\square}{24}-\frac{\square}{24}\right)=\square+\frac{\square}{24}=\square\frac{\square}{24}$

방법 2 $3\frac{1}{6}-1\frac{3}{8}=\frac{\square}{6}-\frac{\square}{8}=\frac{\square}{24}-\frac{\square}{24}=\frac{\square}{24}=\square\frac{\square}{24}$

자연수와 분수를 각각
계산하거나 가분수로
고친 후 계산해.

 알맞은 식을 쓰고 답을 구하세요.

✪ 어느 제과점에서 밀가루 $6\frac{3}{8}$kg 중 $3\frac{2}{3}$kg을 사용하였습니다. 남아 있는 밀가루는 몇 kg일까요?

식 : $6\frac{3}{8} - 3\frac{2}{3} = 2\frac{17}{24}$ 답 : $2\frac{17}{24}$kg

(남아 있는 밀가루의 양)
= (전체 밀가루의 양) - (사용한 밀가루의 양)

① 자전거를 타고 진우는 $3\frac{5}{6}$ km를 갔고, 희준이는 $2\frac{1}{4}$ km를 갔습니다. 진우는 희준이보다 몇 km 더 갔을까요?

식 : ____________ 답 : ____________

② 재활용품을 연범이는 $5\frac{3}{7}$ kg 모았고, 승민이는 연범이보다 $1\frac{1}{2}$ kg 적게 모았습니다. 승민이는 재활용품을 몇 kg 모았을까요?

식 : ____________ 답 : ____________

③ 빈 물통에 물을 $7\frac{1}{8}$ L 넣었다가 $5\frac{2}{5}$ L를 덜어냈습니다. 물통에 들어 있는 물의 양은 몇 L 일까요?

식 : ____________ 답 : ____________

5일 분수의 덧셈과 뺄셈

알맞은 풀이를 쓰고 답을 구하세요.

✪ 한나는 항공박물관까지 $\frac{3}{5}$시간은 버스를 타고, $\frac{2}{3}$시간은 지하철을 타고 갔습니다. 한나가 항공박물관까지 가는 데 걸린 시간은 몇 시간일까요?

풀이 : (항공박물관까지 가는 데 걸린 시간)
= (버스로 간 시간) + (지하철로 간 시간)
$= \frac{3}{5} + \frac{2}{3} = 1\frac{4}{15}$ (시간)

답 : $1\frac{4}{15}$ 시간

① 청포도의 무게는 $3\frac{5}{9}$ kg이고, 한라봉의 무게는 $2\frac{2}{3}$ kg입니다. 청포도는 한라봉보다 몇 kg 더 무거울까요?

풀이 :

답 :

더해야 하는 상황과
빼야 하는 상황을
잘 구분하도록 해.

② 딸기 $2\frac{3}{4}$ kg과 설탕 $1\frac{3}{14}$ kg을 섞어 딸기잼을 만들었습니다. 딸기잼은 몇 kg 일까요?

풀이 :

답 : ____________

③ 빵을 만드는 데 필요한 우유는 $3\frac{1}{4}$컵입니다. 현재 현지가 가지고 있는 우유는 $\frac{5}{6}$컵입니다. 더 필요한 우유의 양은 몇 컵일까요?

풀이 :

답 : ____________

확인학습

알맞은 식을 쓰고 답을 구하세요.

① 주민이는 줄넘기를 $\frac{1}{4}$시간 동안 연습하였고, 세형이는 $\frac{3}{10}$시간 동안 연습하였습니다. 두 사람이 줄넘기를 연습한 시간은 모두 몇 시간일까요?

식 : ____________________ 답 : __________

② 소휘는 어제 $\frac{1}{2}$ L의 주스를 마시고, 오늘 $\frac{2}{3}$ L의 주스를 마셨습니다. 소휘가 어제와 오늘 마신 주스는 모두 몇 L일까요?

식 : ____________________ 답 : __________

③ 민지가 가지고 있는 리본은 $3\frac{1}{6}$ m이고, 형재가 가지고 있는 리본은 $1\frac{3}{8}$ m입니다. 두 사람이 가지고 있는 리본의 길이는 몇 m일까요?

식 : ____________________ 답 : __________

④ 고구마가 $4\frac{5}{9}$ kg, 감자가 $3\frac{11}{15}$ kg 있습니다. 고구마와 감자의 무게는 모두 몇 kg일까요?

식 : ____________________ 답 : __________

알맞은 식을 쓰고 답을 구하세요.

⑤ 선물을 포장하는 데 리본을 효준이는 $\frac{3}{4}$ m 사용하였고, 정현이는 $\frac{4}{7}$ m 사용하였습니다. 효준이는 정현이보다 리본을 몇 m 더 사용하였을까요?

식 : ______________________ 답 : __________

⑥ 밀가루가 ㉮ 그릇에는 $\frac{5}{8}$ kg 들어 있고, ㉯ 그릇에는 $\frac{1}{6}$ kg 들어 있습니다. ㉮ 그릇에 있는 밀가루는 ㉯ 그릇에 있는 밀가루보다 몇 kg 더 많을까요?

식 : ______________________ 답 : __________

⑦ 학교에서 우현이네 집까지의 거리는 $2\frac{5}{6}$ km이고, 학교에서 준혁이네 집까지의 거리는 $1\frac{1}{9}$ km입니다. 학교에서 우현이네 집까지의 거리는 학교에서 준혁이네 집까지의 거리보다 몇 km 더 멀까요?

식 : ______________________ 답 : __________

⑧ 종후는 찰흙 $4\frac{3}{10}$ kg 중에서 미술 작품을 만드는 데 $2\frac{3}{4}$ kg을 사용하였습니다. 남아 있는 찰흙은 몇 kg일까요?

식 : ______________________ 답 : __________

확인학습

알맞은 풀이를 쓰고 답을 구하세요.

⑨ 주현이는 시청까지 $\frac{1}{4}$시간은 버스를 타고, $\frac{9}{10}$시간은 지하철을 타고 갔습니다. 주현이가 시청까지 가는 데 걸린 시간은 몇 시간일까요?

풀이 :

답 : ______________

⑩ 무게가 $1\frac{1}{6}$ kg인 바구니에 수박을 담아 무게를 재어 보니 $5\frac{3}{4}$ kg이었습니다. 수박의 무게는 몇 kg일까요?

풀이 :

답 : ______________

3주차

분수의 곱셈

1일 (분수)×(자연수) ········ 34

2일 (자연수)×(분수) ········ 36

3일 진분수의 곱셈 ········ 38

4일 여러 가지 분수의 곱셈(1) ········ 40

5일 여러 가지 분수의 곱셈(2) ········ 42

확인학습 ········ 44

1일 (분수)×(자연수)

2가지 방법으로 계산해 보세요.

☆ 방법 1 $\frac{5}{8}\times6=\frac{5\times6}{8}=\frac{\overset{15}{\cancel{30}}}{\underset{4}{\cancel{8}}}=\frac{15}{4}=3\frac{3}{4}$

방법 2 $\frac{5}{8}\times6=\frac{5\times\overset{3}{\cancel{6}}}{\underset{4}{\cancel{8}}}=\frac{15}{4}=3\frac{3}{4}$

① 방법 1 $\frac{5}{6}\times18=\frac{5\times18}{6}=\frac{\overset{\square}{\cancel{90}}}{\underset{\square}{\cancel{6}}}=\frac{\square}{\square}=\square$

방법 2 $\frac{5}{6}\times18=\frac{5\times\overset{\square}{\cancel{18}}}{\underset{\square}{\cancel{6}}}=\frac{\square}{\square}=\square$

② 방법 1 $1\frac{9}{10}\times4=\frac{19}{10}\times4=\frac{19\times4}{10}=\frac{\overset{\square}{\cancel{76}}}{\underset{\square}{\cancel{10}}}=\frac{\square}{\square}=\square\frac{\square}{\square}$

방법 2 $1\frac{9}{10}\times4=\frac{19}{10}\times4=\frac{19\times\overset{\square}{\cancel{4}}}{\underset{\square}{\cancel{10}}}=\frac{\square}{\square}=\square\frac{\square}{\square}$

분수의 분자와 자연수를
곱하여 계산해.

❀ 알맞은 식을 쓰고 답을 구하세요.

✪ 주스가 $\frac{3}{8}$ L씩 들어 있는 컵이 5개 있습니다. 주스는 모두 몇 L일까요?

식 : $\frac{3}{8} \times 5 = 1\frac{7}{8}$ 답 : $1\frac{7}{8}$ L

(주스 전체의 양)
= (컵 하나에 들어 있는 주스의 양) × (컵의 수)

① 미술 시간에 한 명이 철사를 $\frac{4}{9}$ m씩 사용하려고 합니다. 15명이 사용하면 철사는 모두 몇 m 필요할까요?

식 : ______________________ 답 : ____________

② 한 명이 부침개 한 판의 $\frac{5}{8}$씩 먹으려고 합니다. 16명이 먹으려면 부침개는 모두 몇 판이 필요할까요?

식 : ______________________ 답 : ____________

③ 과자 한 상자의 무게는 $1\frac{7}{8}$ kg입니다. 과자 4상자의 무게는 모두 몇 kg일까요?

식 : ______________________ 답 : ____________

2일 (자연수)×(분수)

2가지 방법으로 계산해 보세요.

✪ 방법 1 $12\times\frac{3}{8}=\frac{12\times3}{8}=\frac{\cancel{36}^{\boxed{9}}}{\cancel{8}_{\boxed{2}}}=\frac{\boxed{9}}{\boxed{2}}=\boxed{4}\frac{\boxed{1}}{\boxed{2}}$

방법 2 $12\times\frac{3}{8}=\frac{\cancel{12}^{\boxed{3}}\times3}{\cancel{8}_{\boxed{2}}}=\frac{\boxed{9}}{\boxed{2}}=\boxed{4}\frac{\boxed{1}}{\boxed{2}}$

① 방법 1 $16\times\frac{5}{8}=\frac{16\times5}{8}=\frac{\cancel{80}^{\square}}{\cancel{8}_{\square}}=\frac{\square}{\square}=\square$

방법 2 $16\times\frac{5}{8}=\frac{\cancel{16}^{\square}\times5}{\cancel{8}_{\square}}=\frac{\square}{\square}=\square$

② 방법 1 $9\times1\frac{5}{6}=9\times\frac{11}{6}=\frac{9\times11}{6}=\frac{\cancel{99}^{\square}}{\cancel{6}_{\square}}=\frac{\square}{\square}=\square\frac{\square}{\square}$

방법 2 $9\times1\frac{5}{6}=9\times\frac{11}{6}=\frac{\cancel{9}^{\square}\times11}{\cancel{6}_{\square}}=\frac{\square}{\square}=\square\frac{\square}{\square}$

자연수와 분수의 분자를
곱하여 계산해.

알맞은 식을 쓰고 답을 구하세요.

도화지 16장이 있습니다. 이 중 $\frac{3}{4}$을 사용했다면 사용한 도화지는 몇 장일까요?

식 : $16 \times \frac{3}{4} = 12$ 답 : 12장

(사용한 도화지의 수) = (전체 도화지의 수) × $\frac{3}{4}$

① 22 kg이 들어 있는 쌀이 한 자루 있습니다. 쌀을 한 자루의 $\frac{1}{6}$만큼 먹었을 때 먹은 쌀은 몇 kg일까요?

식 : ______ 답 : ______

② 승재는 구슬 56개를 가지고 있습니다. 이 중에서 구슬치기를 하여 전체의 $\frac{3}{8}$을 잃었습니다. 승재가 잃은 구슬은 몇 개일까요?

식 : ______ 답 : ______

③ 정민이네 집에서 놀이공원까지의 거리는 6 km이고, 현수네 집에서 놀이공원까지의 거리는 정민이네 집에서 놀이공원까지의 거리의 $1\frac{8}{9}$배입니다. 현수네 집에서 놀이공원까지의 거리는 몇 km일까요?

식 : ______ 답 : ______

3일 진분수의 곱셈

2가지 방법으로 계산해 보세요.

☆ 방법 1 $\frac{3}{8}\times\frac{4}{5}=\frac{3\times4}{8\times5}=\frac{\overset{3}{\cancel{12}}}{\underset{10}{\cancel{40}}}=\frac{3}{10}$

방법 2 $\frac{3}{8}\times\frac{4}{5}=\frac{3\times\overset{1}{\cancel{4}}}{\underset{2}{\cancel{8}}\times5}=\frac{3}{10}$

① 방법 1 $\frac{2}{7}\times\frac{5}{6}=\frac{2\times5}{7\times6}=\frac{\overset{\square}{\cancel{10}}}{\underset{\square}{\cancel{42}}}=\frac{\square}{\square}$

방법 2 $\frac{2}{7}\times\frac{5}{6}=\frac{\overset{\square}{\cancel{2}}\times5}{7\times\underset{\square}{\cancel{6}}}=\frac{\square}{\square}$

② 방법 1 $\frac{5}{9}\times\frac{3}{10}=\frac{5\times3}{9\times10}=\frac{\overset{\square}{\cancel{15}}}{\underset{\square}{\cancel{90}}}=\frac{\square}{\square}$

방법 2 $\frac{5}{9}\times\frac{3}{10}=\frac{\overset{\square}{\cancel{5}}\times\overset{\square}{\cancel{3}}}{\underset{\square}{\cancel{9}}\times\underset{\square}{\cancel{10}}}=\frac{\square}{\square}$

분수의 곱셈은 분자는
분자끼리, 분모는
분모끼리 곱해.

알맞은 식을 쓰고 답을 구하세요.

✪ 설탕 $\frac{5}{9}$ kg 중에서 잼을 만드는 데 설탕의 $\frac{3}{7}$을 사용했다면 사용한 설탕은 몇 kg일까요?

식 : $\frac{5}{9} \times \frac{3}{7} = \frac{5}{21}$ 답 : $\frac{5}{21}$ kg

(사용한 설탕의 양) = (전체 설탕의 양) × $\frac{3}{7}$

① 영지는 오늘 $\frac{3}{4}$시간 동안 스마트폰을 사용하였습니다. 스마트폰을 사용한 시간 중 $\frac{2}{3}$는 게임을 하였다면 게임을 몇 시간 동안 하였을까요?

식 : ____________ 답 : ________

② 길이가 $\frac{5}{6}$ m인 철사의 $\frac{5}{6}$를 사용하였습니다. 사용한 철사는 몇 m일까요?

식 : ____________ 답 : ________

③ 민재네 학교 도서관에 있는 책의 $\frac{2}{5}$는 동화책이고, 동화책의 $\frac{1}{6}$은 영어동화책입니다. 영어동화책은 도서관에 있는 책 전체의 얼마일까요?

식 : ____________ 답 : ________

4일 여러 가지 분수의 곱셈(1)

2가지 방법으로 계산해 보세요.

☆ 방법 1 $\frac{1}{2}\times\frac{1}{4}\times\frac{2}{3}=\frac{1\times1\times\boxed{2}}{2\times\boxed{4}\times\boxed{3}}=\frac{\overset{\boxed{1}}{\cancel{2}}}{\underset{\boxed{12}}{\cancel{24}}}=\frac{\boxed{1}}{\boxed{12}}$

방법 2 $\frac{1}{2}\times\frac{1}{4}\times\frac{2}{3}=\frac{1\times\boxed{1}\times\overset{\boxed{1}}{\cancel{2}}}{\underset{\boxed{1}}{\cancel{2}}\times4\times\boxed{3}}=\frac{\boxed{1}}{\boxed{12}}$

① 방법 1 $\frac{1}{2}\times\frac{3}{5}\times\frac{5}{7}=\frac{1\times3\times\square}{2\times\square\times\square}=\frac{\overset{\square}{\cancel{15}}}{\underset{\square}{\cancel{70}}}=\frac{\square}{\square}$

방법 2 $\frac{1}{2}\times\frac{3}{5}\times\frac{5}{7}=\frac{1\times\square\times\overset{\square}{\cancel{5}}}{2\times\underset{\square}{\cancel{5}}\times\square}=\frac{\square}{\square}$

② 방법 1 $\frac{1}{3}\times\frac{2}{5}\times\frac{3}{8}=\frac{1\times\square\times\square}{3\times\square\times8}=\frac{\overset{\square}{\cancel{6}}}{\underset{\square}{\cancel{120}}}=\frac{\square}{\square}$

방법 2 $\frac{1}{3}\times\frac{2}{5}\times\frac{3}{8}=\frac{\square\times\overset{\square}{\cancel{2}}\times\overset{\square}{\cancel{3}}}{\underset{\square}{\cancel{3}}\times\square\times\underset{\square}{\cancel{8}}}=\frac{\square}{\square}$

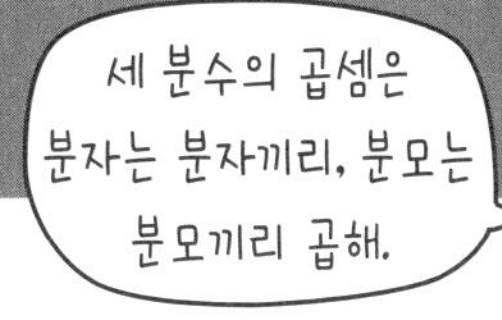
세 분수의 곱셈은
분자는 분자끼리, 분모는
분모끼리 곱해.

알맞은 식을 쓰고 답을 구하세요.

현지네 학교 전체 학생의 $\frac{5}{8}$는 여학생입니다. 여학생 중에서 $\frac{1}{4}$은 미술을 좋아하고, 그중 $\frac{2}{5}$는 그림 그리기를 좋아합니다. 미술을 좋아하는 여학생 중 그림그리기를 좋아하는 여학생은 전체 학생의 얼마일까요?

식 : $\frac{5}{8} \times \frac{1}{4} \times \frac{2}{5} = \frac{1}{16}$ 답 : $\frac{1}{16}$

(그림 그리기를 좋아하는 여학생 수) = (전체 학생 수) × $\frac{5}{8}$ × $\frac{1}{4}$ × $\frac{2}{5}$

① 길이가 $\frac{5}{6}$ m인 끈의 $\frac{1}{5}$을 자른 후 그중에서 $\frac{1}{2}$을 사용했습니다. 사용한 부분의 길이는 몇 m일까요?

식 : ______________ 답 : ______________

② 민규네 반 학생의 $\frac{2}{5}$는 남학생이고 남학생 중 $\frac{3}{8}$은 수학을 좋아하며 그중 $\frac{5}{6}$는 국어도 좋아합니다. 수학을 좋아하는 남학생 중 국어를 좋아하는 남학생은 전체 학생의 얼마일까요?

식 : ______________ 답 : ______________

③ 떨어진 높이의 $\frac{1}{3}$만큼 튀어오르는 공이 있습니다. 이 공을 $\frac{6}{11}$ m의 높이에서 떨어뜨렸습니다. 공이 땅에 2번 닿았다가 튀어올랐을 때의 높이는 몇 m일까요?

식 : ______________ 답 : ______________

5일 여러 가지 분수의 곱셈(2)

빈칸에 알맞은 수를 써넣으세요.

✪ $2\frac{1}{4}\times 1\frac{2}{3}=\frac{9}{4}\times\frac{5}{3}=\frac{\overset{3}{\cancel{9}}\times 5}{4\times\underset{1}{\cancel{3}}}=\frac{15}{4}=3\frac{3}{4}$

① $1\frac{3}{5}\times 2\frac{3}{4}=\frac{8}{\square}\times\frac{\square}{4}=\frac{\overset{\square}{\cancel{8}}\times\square}{\square\times\underset{\square}{\cancel{4}}}=\frac{\square}{\square}=\square\frac{\square}{\square}$

② $4\frac{1}{3}\times 2\frac{1}{10}=\frac{\square}{3}\times\frac{21}{\square}=\frac{\square\times\overset{\square}{\cancel{21}}}{\underset{\square}{\cancel{3}}\times\square}=\frac{\square}{\square}=\square\frac{\square}{\square}$

③ $3\frac{3}{4}\times 2\frac{4}{5}=\frac{\square}{4}\times\frac{14}{\square}=\frac{\overset{\square}{\square}\times\overset{\square}{\cancel{14}}}{\underset{\square}{\cancel{4}}\times\underset{\square}{\square}}=\frac{\square}{\square}=\square\frac{\square}{\square}$

먼저 가분수로 바꾼 후
분자는 분자끼리, 분모는
분모끼리 곱하여 계산해.

알맞은 식을 쓰고 답을 구하세요.

집에서 학교까지의 거리는 $1\frac{7}{8}$ km이고, 집에서 공원까지의 거리는 집에서 학교까지의 거리의 $2\frac{4}{5}$배입니다. 집에서 공원까지의 거리는 몇 km일까요?

식 : $1\frac{7}{8} \times 2\frac{4}{5} = 5\frac{1}{4}$　　답 : $5\frac{1}{4}$ km

(집에서 공원까지의 거리) = (집에서 학교까지의 거리) × $2\frac{4}{5}$

① ㉮ 물통에는 물이 $3\frac{3}{7}$ L 들어 있고, ㉯ 물통에는 ㉮ 물통에 있는 물의 $1\frac{5}{12}$배만큼 있습니다. ㉯ 물통에 들어 있는 물의 양은 몇 L일까요?

식 : ____________　　답 : ____________

② 1L의 휘발유로 $9\frac{1}{3}$ km를 갈 수 있는 자동차가 있습니다. 이 자동차에 $4\frac{2}{7}$ L의 휘발유가 있다고 할 때 몇 km를 갈 수 있을까요?

식 : ____________　　답 : ____________

③ 희철이의 몸무게는 $42\frac{4}{5}$ kg이고, 아버지의 몸무게는 희철이 몸무게의 $1\frac{3}{4}$ 배입니다. 아버지의 몸무게는 몇 kg일까요?

식 : ____________　　답 : ____________

확인학습

빈칸에 알맞은 수를 써넣으세요.

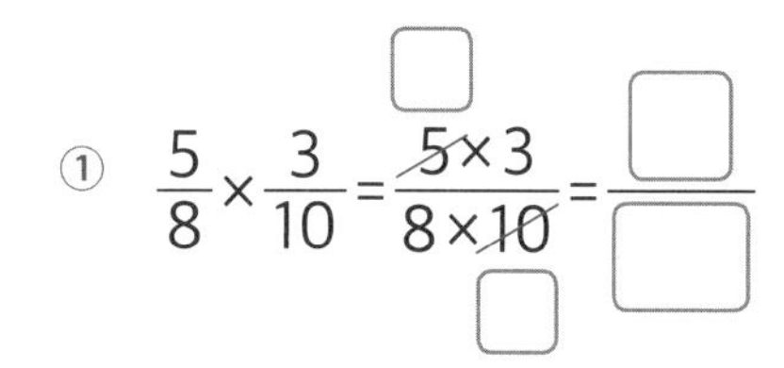

① $\frac{5}{8}\times\frac{3}{10}=\frac{\overset{\square}{\cancel{5}}\times3}{8\times\underset{\square}{\cancel{10}}}=\frac{\square}{\square}$

② $\frac{1}{7}\times\frac{3}{5}\times\frac{7}{9}=\frac{\square\times\overset{\square}{\cancel{3}}\times\overset{\square}{\cancel{7}}}{\underset{\square}{\cancel{7}}\times\square\times\underset{\square}{\cancel{9}}}=\frac{\square}{\square}$

③ $3\frac{1}{6}\times2\frac{1}{4}=\frac{\square}{6}\times\frac{9}{\square}=\frac{\square\times\overset{\square}{\cancel{9}}}{\underset{\square}{\cancel{6}}\times\square}=\frac{\square}{\square}=\square\frac{\square}{\square}$

알맞은 식을 쓰고 답을 구하세요.

④ 우유가 $\frac{1}{8}$ L씩 들어 있는 컵이 3개 있습니다. 우유는 모두 몇 L일까요?

식 : ______________________ 답 : ____________

⑤ 한 명이 피자 한 판의 $\frac{3}{10}$씩 먹으려고 합니다. 20명이 먹으려면 피자는 모두 몇 판이 필요할까요?

식 : ______________________ 답 : ____________

알맞은 식을 쓰고 답을 구하세요.

⑥ 색종이 24장이 있습니다. 이 중 $\frac{5}{6}$를 사용했다면 사용한 색종이는 몇 장일까요?

식 : ______________________ 답 : __________

⑦ 8 kg이 들어 있는 사과가 한 상자 있습니다. 사과를 한 상자의 $\frac{7}{12}$만큼 먹었을 때 먹은 사과은 몇 kg일까요?

식 : ______________________ 답 : __________

⑧ 밀가루 $\frac{7}{8}$ kg 중에서 빵을 만드는 데 밀가루의 $\frac{9}{14}$를 사용했다면 사용한 밀가루는 몇 kg일까요?

식 : ______________________ 답 : __________

⑨ 길이가 $\frac{3}{10}$ m인 색 테이프의 $\frac{5}{9}$를 사용하였습니다. 사용한 색 테이프는 몇 m일까요?

식 : ______________________ 답 : __________

확인학습

알맞은 식을 쓰고 답을 구하세요.

⑩ 주현이네 학교 전체 학생의 $\frac{4}{7}$는 여학생입니다. 여학생 중에서 $\frac{1}{4}$은 음악을 좋아하고, 그중 $\frac{2}{3}$는 피아노를 좋아합니다. 음악을 좋아하는 여학생 중 피아노를 좋아하는 여학생은 전체 학생의 얼마일까요?

식 : ______________________ 답 : ____________

⑪ 길이가 $\frac{3}{8}$ m인 철사의 $\frac{5}{6}$를 자른 후 그중에서 $\frac{2}{5}$를 사용했습니다. 사용한 부분의 길이는 몇 m일까요?

식 : ______________________ 답 : ____________

⑫ ㉮ 물통에는 물이 $2\frac{2}{5}$ L 들어 있고 ㉯ 물통에는 ㉮ 물통에 있는 물의 $1\frac{2}{3}$배만큼 있습니다. ㉯ 물통에 들어 있는 물의 양은 몇 L일까요?

식 : ______________________ 답 : ____________

⑬ 집에서 박물관까지의 거리는 $8\frac{1}{4}$ km이고, 집에서 과학관까지의 거리는 집에서 박물관까지의 거리의 $2\frac{1}{3}$배입니다. 집에서 과학관까지의 거리는 몇 km일까요?

식 : ______________________ 답 : ____________

4주차

소수의 곱셈

1일 (소수)×(자연수) 48

2일 (자연수)×(소수) 50

3일 소수의 곱셈(1) 52

4일 소수의 곱셈(2) 54

5일 곱의 소수점의 위치 56

확인학습 58

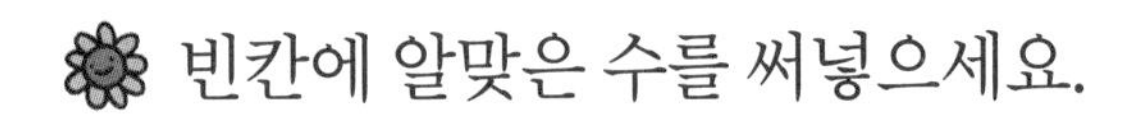

1일 (소수)×(자연수)

빈칸에 알맞은 수를 써넣으세요.

☆ $0.3 \times 4 = 0.1 \times$ [3] $\times 4 = 0.1 \times$ [12]

0.1이 모두 [12] 개이므로 $0.3 \times 4 =$ [1.2] 입니다.

① $0.7 \times 5 = 0.1 \times$ □ $\times 5 = 0.1 \times$ □

0.1이 모두 □ 개이므로 $0.7 \times 5 =$ □ 입니다.

② $0.61 \times 4 = 0.01 \times$ □ $\times 4 = 0.01 \times$ □

0.01이 모두 □ 개이므로 $0.61 \times 4 =$ □ 입니다.

③ $1.2 \times 3 = 0.1 \times$ □ $\times 3 = 0.1 \times$ □

0.1이 모두 □ 개이므로 $1.2 \times 3 =$ □ 입니다.

④ $2.39 \times 2 = 0.01 \times$ □ $\times 2 = 0.01 \times$ □

0.01이 모두 □ 개이므로 $2.39 \times 2 =$ □ 입니다.

0.1이나 0.01의 개수를
세어 계산할 수 있어.

 알맞은 식을 쓰고 답을 구하세요.

✪ 한 권의 무게가 0.7 kg인 영어사전이 있습니다. 영어사전 6권의 무게는 모두 몇 kg일까요?

식 : $0.7 \times 6 = 4.2$ 답 : 4.2 kg

(영어사전의 총 무게) = (영어사전 1권의 무게) × (영어사전 수)

① 송이는 매일 아침마다 0.8 km씩 달리기를 합니다. 송이가 3월 한 달 동안 달린 거리는 모두 몇 km일까요?

식 : ______________ 답 : ______________

② 주현이는 길이가 2.9 m인 리본끈을 4개 샀습니다. 주현이가 산 리본끈의 길이는 모두 몇 m일까요?

식 : ______________ 답 : ______________

③ 선생님께서 밀가루를 한 모둠에 1.85 kg씩 5모둠에 나누어 주셨습니다. 선생님께서 나누어 주신 밀가루는 모두 몇 kg일까요?

식 : ______________ 답 : ______________

2일 (자연수)×(소수)

빈칸에 알맞은 수를 써넣으세요.

예시

$3 \times 8 = 24$

($\frac{1}{10}$배) ($\frac{1}{10}$배)

$3 \times 0.8 = 2.4$

⇨ 0.8은 8의 $\frac{1}{10}$ 배이므로 3×0.8은 3×8=24의 $\frac{1}{10}$ 배인 2.4 가 되어야 합니다.

① $6 \times 12 = 72$

($\frac{1}{100}$배) (□배)

$6 \times 0.12 =$ □

⇨ 0.12는 12의 $\frac{1}{100}$ 배이므로 6×0.12는 6×12=72의 □ 배인 □ 가 되어야 합니다.

② $7 \times 15 = 105$

($\frac{1}{10}$배) (□배)

$7 \times 1.5 =$ □

⇨ 1.5는 15의 $\frac{1}{10}$ 배이므로 7×1.5는 7×15=105의

□ 배인 □ 가 되어야 합니다.

③ $4 \times 217 = 868$

($\frac{1}{100}$배) (□배)

$4 \times 2.17 =$ □

⇨ 2.17은 217의 $\frac{1}{100}$ 배이므로 4×2.17은 4×217=868의 □ 배인 □ 이 되어야 합니다.

곱하는 수가 $\frac{1}{10}$ 배 되면
계산 결과도 $\frac{1}{10}$ 배가 돼.

알맞은 식을 쓰고 답을 구하세요.

✪ 굵기가 일정한 나무토막 1 m의 무게는 8 kg입니다. 똑같은 나무토막 0.4 m로 장난감을 만들었다면 장난감을 만드는 데 사용한 나무토막의 무게는 몇 kg일까요?

식 : $8 \times 0.4 = 3.2$　　답 : 3.2 kg

(사용한 나무토막의 무게)
= (나무토막 1m의 무게) × (사용한 나무토막의 길이)

① 희진이네 교실에는 세로가 2 m인 직사각형 모양의 게시판이 있습니다. 이 게시판의 가로가 세로의 2.6배일 때, 게시판의 가로는 몇 m일까요?

식 : ______　　답 : ______

② 미술시간에 학생들에게 나누어 준 점토는 4 kg의 0.75배입니다. 학생들에게 나누어 준 점토는 모두 몇 kg일까요?

식 : ______　　답 : ______

③ 성제의 몸무게는 46 kg입니다. 수성에서 잰 몸무게는 지구에서 잰 몸무게의 약 0.38배라 할 때, 수성에서 성제의 몸무게는 약 kg일까요?

식 : ______　　답 : ______

소수의 곱셈(1)

빈칸에 알맞은 수를 써넣으세요.

☆

$4 \times 7 = 28$

$\frac{1}{10}$배 $\frac{1}{10}$배 $\frac{1}{100}$배

$0.4 \times 0.7 = 0.28$

⇨ 0.4는 4의 $\frac{1}{10}$ 배, 0.7은 7의 $\frac{1}{10}$ 배이므로

0.4×0.7은 4×7=28의 $\frac{1}{100}$ 배인

0.28 이 됩니다.

①

$18 \times 3 = 54$

$\frac{1}{100}$배 $\frac{1}{10}$배 □배

$0.18 \times 0.3 =$ □

⇨ 0.18은 18의 $\frac{1}{100}$ 배, 0.3은 3의 $\frac{1}{10}$ 배이므로

0.18×0.3은 18×3=54의 □ 배인

□ 가 됩니다.

②

$16 \times 15 = 240$

$\frac{1}{10}$배 $\frac{1}{10}$배 □배

$1.6 \times 1.5 =$ □

⇨ 1.6은 16의 $\frac{1}{10}$ 배, 1.5는 15의 $\frac{1}{10}$ 배이므로

1.6×1.5는 16×15=240의 □ 배인

□ 가 됩니다.

③

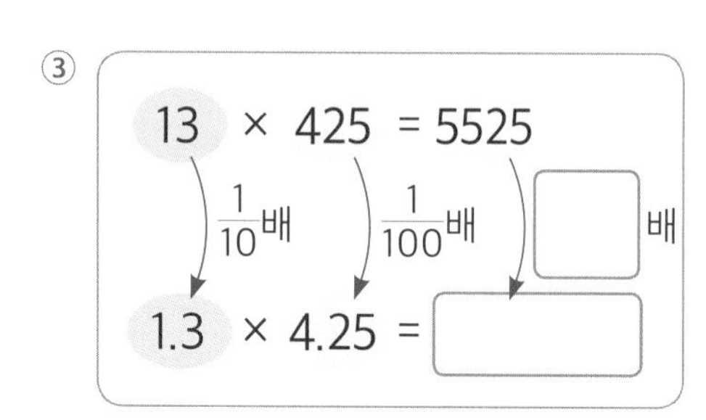

⇨ 1.3은 13의 $\frac{1}{10}$ 배, 4.25는 425의 $\frac{1}{100}$ 배이므로

1.3×4.25는 13×425=5525의 □ 배인

□ 가 됩니다.

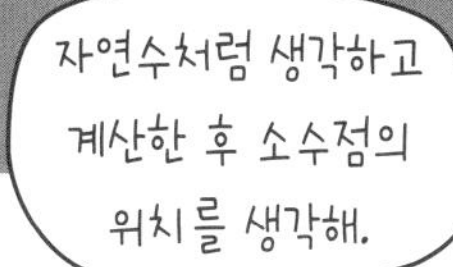

알맞은 식을 쓰고 답을 구하세요.

1시간 동안 0.6 km를 달리는 장난감 기차가 있습니다. 이 장난감 기차가 0.8시간 동안 달린 거리는 몇 km일까요?

식 : $0.6 \times 0.8 = 0.48$　　답 : 0.48 km

(장난감 기차가 달린 거리) = (1시간 동안 달리는 거리) × (걸린 시간)

① 국어사전의 무게가 0.5 kg입니다. 동화책의 무게는 국어사전의 무게의 0.9배일 때 동화책의 무게는 몇 kg일까요?

식 : ______________________　　답 : __________

② 밀가루 한 봉지는 0.7 kg입니다. 그중 0.92만큼이 탄수화물 성분일 때 탄수화물 성분은 몇 kg일까요?

식 : ______________________　　답 : __________

③ 한 시간에 물이 0.63 L 나오는 정수기가 있습니다. 이 정수기로 0.4시간 동안 물을 받으면 받는 물은 몇 L일까요?

식 : ______________________　　답 : __________

소수의 곱셈(2)

알맞은 식을 쓰고 답을 구하세요.

✪ 휘발유 1 L로 8.6 km를 가는 자동차가 있습니다. 이 자동차가 3.4 L의 휘발유로 갈 수 있는 거리는 몇 km일까요?

식 : $8.6 \times 3.4 = 29.24$ 답 : 29.24 km

(자동차가 갈 수 있는 거리)
= (휘발유 1L로 갈 수 있는 거리) × (휘발유의 양)

① 민서는 1.8 m짜리 철사의 0.35만큼 사용했습니다. 민서가 사용한 철사의 길이는 몇 m일까요?

식 : ______ 답 : ______

② 굵기가 일정한 통나무 1 m의 무게는 4.86 kg입니다. 이 통나무 5.2 m의 무게는 몇 kg일까요?

식 : ______ 답 : ______

③ 수현이가 태어났을 때의 몸무게는 3.6 kg이었습니다. 1년 후의 몸무게는 태어났을 때의 몸무게의 2.85배가 되었습니다. 태어난 지 1년 후의 몸무게는 몇 kg일까요?

식 : ______ 답 : ______

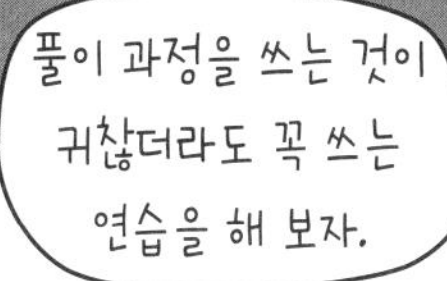

풀이 과정을 쓰는 것이
귀찮더라도 꼭 쓰는
연습을 해 보자.

알맞은 풀이를 쓰고 답을 구하세요.

✪ 한 시간에 72.5 km를 달리는 자동차가 같은 빠르기로 2.2시간 동안 달리는 거리는 몇 km일까요?

풀이 : (자동차가 2.2시간 동안 달리는 거리)
= (한 시간 동안 달리는 거리) × (달리는 시간)
= 72.5 × 2.2 = 159.5 (km)

답 : 159.5 km

① 굵기가 일정한 철근 1 m의 무게가 0.8 kg입니다. 이 철근 3.4 m의 무게는 몇 kg일까요?

풀이 :

답 : ______________

② 1초에 0.94 L의 물이 나오는 수도가 있습니다. 이 수도에서 5.6초 동안 나오는 물의 양은 몇 L일까요?

풀이 :

답 : ______________

5일 곱의 소수점의 위치

빈칸에 알맞은 수를 써넣으세요.

✪ 24×16=384이므로

⇨ 2.4×1.6= 3.84 이고, 0.24×1.6= 0.384 입니다.

① 28×42=1176이므로

⇨ 2.8×0.42= ☐ 이고, 0.28×0.42= ☐ 입니다.

② 352×28=9856이므로

⇨ 3.52×2.8= ☐ 이고, 3.52×0.28= ☐ 입니다.

③ 513×17=8721이므로

⇨ 51.3×0.17= ☐ 이고, 0.513×1.7= ☐ 입니다.

④ 25×127=3175이므로

⇨ 2.5×12.7= ☐ 이고, 0.25×1.27= ☐ 입니다.

다음 물음에 답하세요.

✪ 어느 빵집에 0.057 kg짜리 빵 10개와 5.4 g짜리 쿠키 100개가 있습니다. 빵 10개와 쿠키 100개 중 어느 것이 더 무거울까요?

빵 10개의 무게는 0.057 × 10 =0.57 (kg)

1kg은 1000g이므로 0.57kg은 0.57 × 1000 = 570g

쿠키 100개의 무게는 5.4 × 100 =540 (g)

따라서 570 > 540 이므로 빵 10개가 더 무겁습니다.

답 : 빵 10개

① 효민이는 1.4 km 달리기를 3일 하였고, 준구는 500 m 달리기를 일주일 동안 매일 했습니다. 두 사람 중 더 많이 달린 사람은 누구일까요?

답 : ______

② 정안이는 주스를 2주일 동안 매일 0.32 L씩 마시고, 수아는 주스를 10일 동안 매일 420 mL씩 마셨습니다. 주스를 더 많이 마신 사람은 누구일까요?

답 : ______

③ 민주는 1 m 50 cm짜리 막대 65개를 가지고 있고, 미희는 0.9 m짜리 막대 100개를 가지고 있습니다. 막대를 겹치지 않고 직선으로 연결하였을 때 더 길게 만들 수 있는 사람은 누구일까요?

답 : ______

확인학습

알맞은 식을 쓰고 답을 구하세요.

① 한 권의 무게가 0.8 kg인 수학 익힘책이 있습니다. 수학 익힘책 7권의 무게는 모두 몇 kg일까요?

식 : ____________________ 답 : __________

② 슬기는 길이가 3.4 m인 철사를 8개 샀습니다. 슬기가 산 철사의 길이는 모두 몇 m일까요?

식 : ____________________ 답 : __________

③ 희정이가 지금 키우는 강아지를 처음 분양받았을 때 무게가 3 kg이었는데 지금은 처음의 4.7배가 되었습니다. 강아지의 무게는 몇 kg일까요?

식 : ____________________ 답 : __________

④ 광일이가 동생에게 준 리본 끈의 길이는 6 m의 0.65배입니다. 동생에게 준 리본 끈의 길이는 몇 m일까요?

식 : ____________________ 답 : __________

알맞은 식을 쓰고 답을 구하세요.

⑤ 1시간 동안 0.4 km를 움직이는 장난감 자동차가 있습니다. 이 장난감 자동차가 0.9시간 동안 움직인 거리는 몇 km일까요?

식 : ______________________ 답 : ______________

⑥ 어느 딸기 잼 한 통은 0.8 kg입니다. 그중 0.74만큼이 딸기일 때 딸기는 몇 kg일까요?

식 : ______________________ 답 : ______________

⑦ 경유 1 L로 7.2 km를 가는 승합차가 있습니다. 이 승합차가 6.5 L의 경유로 갈 수 있는 거리는 몇 km일까요?

식 : ______________________ 답 : ______________

⑧ 나무 토막 1 m의 무게는 2.43 kg입니다. 이 나무 토막과 굵기가 같은 나무 토막 4.9 m의 무게는 몇 kg일까요?

식 : ______________________ 답 : ______________

확인학습

빈칸에 알맞은 수를 써넣으세요.

⑨ $57 \times 19 = 1083$이므로

⇨ $5.7 \times 1.9 =$ [ ] 이고, $0.57 \times 0.19 =$ [ ] 입니다.

⑩ $831 \times 42 = 34902$이므로

⇨ $83.1 \times 0.42 =$ [ ] 이고, $0.831 \times 4.2 =$ [ ] 입니다.

다음 물음에 답하세요.

⑪ 소현이는 1.5 km 달리기를 4일 하였고, 규민이는 800 m 달리기를 일주일 동안 매일 했습니다. 두 사람 중 더 많이 달린 사람은 누구일까요?

답 : ____________

⑫ 우진이는 우유를 2주일 동안 매일 0.46 L씩 마셨고, 금현이는 우유를 10일 동안 매일 540 mL씩 마셨습니다. 우유를 더 많이 마신 사람은 누구일까요?

답 : ____________

진단평가

진단평가에는 앞에서 학습한 4주차의 문장제 활동이 순서대로 나옵니다. 잘못 푼 문제가 있으면 몇 주차인지 확인하여 반드시 한 번 더 복습해 봅니다.

1주차	3주차
2주차	4주차

1회차

진단평가

수 카드를 사용하여 크기가 같은 분수를 만들어 보세요.

① 수 카드를 사용하여 $\frac{3}{5}$과 크기가 같은 분수를 만들어 보세요.

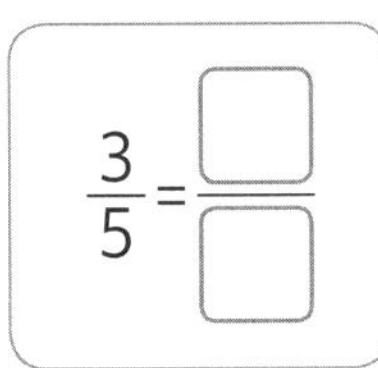

10 15 24 25 35

답 : ________

② 수 카드를 사용하여 $\frac{15}{18}$와 크기가 같은 분수를 만들어 보세요.

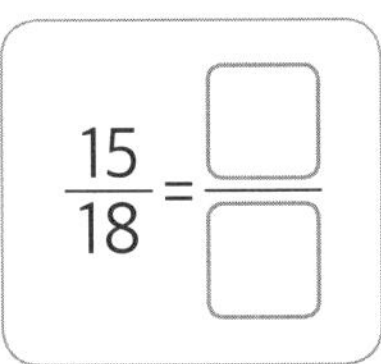

16 24 35 36 42

답 : ________

알맞은 풀이를 쓰고 답을 구하세요.

③ 물이 $3\frac{3}{5}$ L 들어 있는 물통에서 $\frac{3}{4}$ L의 물을 따라 썼습니다. 지금 물통에 들어 있는 물은 몇 L일까요?

풀이 :

답 : ________

월 일
제한 시간 15분
맞은 개수 / 7개

알맞은 식을 쓰고 답을 구하세요.

④ 한 명이 철사를 $\frac{3}{8}$ m씩 사용하려고 합니다. 12명이 사용하면 철사는 모두 몇 m 필요할까요?

식 : ________________ 답 : ________

⑤ 초콜릿 한 상자의 무게는 $1\frac{1}{4}$ kg입니다. 초콜릿 4상자의 무게는 모두 몇 kg일까요?

식 : ________________ 답 : ________

다음 물음에 답하세요.

⑥ 어느 빵집에 0.082 kg짜리 빵 10개와 16.3 g짜리 쿠키 50개가 있습니다. 빵 10개와 쿠키 50개 중 어느 것이 더 무거울까요?

답 : ________

⑦ 일우는 1 m 20 cm짜리 리본 45개를 가지고 있고, 도희는 0.8 m짜리 리본 75개를 가지고 있습니다. 리본을 겹치지 않고 직선으로 연결하였을 때 더 길게 만들 수 있는 사람은 누구일까요?

답 : ________

진단평가

다음 물음에 답하세요.

① $\frac{13}{18}$보다 작은 분수 중에서 분모가 18인 기약분수는 모두 몇 개일까요?

답 : ____________

② $\frac{19}{30}$보다 큰 진분수 중에서 분모가 30인 기약분수는 모두 몇 개일까요?

답 : ____________

알맞은 식을 쓰고 답을 구하세요.

③ 길이가 $\frac{4}{9}$ m인 파란색 리본과 $\frac{1}{6}$ m인 주황색 리본을 겹치지 않게 이었습니다. 이은 리본의 길이는 모두 몇 m일까요?

식 : ________________________ 답 : ____________

④ 과수원에서 살구를 재석이는 $\frac{3}{4}$ kg 땄고, 혜린이는 $\frac{7}{10}$ kg 땄습니다. 재석이와 혜린이가 딴 살구는 모두 몇 kg일까요?

식 : ________________________ 답 : ____________

알맞은 식을 쓰고 답을 구하세요.

⑤ 준호네 반 남학생은 16명이고 남학생의 $\frac{5}{8}$는 안경을 쓰고 있습니다. 안경을 쓴 남학생은 몇 명일까요?

식 : ______________________ 답 : __________

⑥ 현진이네 집에서 은행까지의 거리는 4 km이고, 민주네 집에서 은행까지의 거리는 현진이네 집에서 은행까지의 거리의 $1\frac{5}{6}$배입니다. 민주네 집에서 은행까지의 거리는 몇 km일까요?

식 : ______________________ 답 : __________

알맞은 식을 쓰고 답을 구하세요.

⑦ 한 시간에 75.5 km를 달리는 기차가 같은 빠르기로 1.8시간 동안 달리는 거리는 몇 km일까요?

식 : ______________________ 답 : __________

⑧ 1초에 0.86 L의 물이 나오는 수도가 있습니다. 이 수도에서 5.3초 동안 나오는 물의 양은 몇 L일까요?

식 : ______________________ 답 : __________

3회차

진단평가

다음 물음에 답하세요.

① $\frac{2}{3}$보다 크고 $\frac{6}{7}$보다 작은 분수 중에서 분모가 21인 분수는 모두 몇 개일까요?

답 : ______________

② $\frac{1}{6}$과 $\frac{3}{8}$ 사이에 있는 분수 중에서 분모가 24인 기약분수는 모두 몇 개일까요?

답 : ______________

알맞은 식을 쓰고 답을 구하세요.

③ 우유 $\frac{7}{8}$ L 중에서 $\frac{5}{12}$ L를 마셨습니다. 남은 우유는 몇 L일까요?

식 : ______________________________ 답 : ______________

④ 소연이와 주미가 달리기를 했습니다. 소연이는 $\frac{11}{15}$ km를 달렸고, 주미는 $\frac{3}{10}$ km를 달렸습니다. 소연이는 주미보다 몇 km 더 달렸을까요?

식 : ______________________________ 답 : ______________

알맞은 식을 쓰고 답을 구하세요.

⑤ 준혁이는 오늘 $\frac{5}{12}$시간 동안 컴퓨터를 사용하였습니다. 컴퓨터를 사용한 시간 중 $\frac{3}{10}$은 타자연습을 하였다면 타자연습을 몇 시간 동안 하였을까요?

식 : ______________ 답 : ______________

⑥ 정후네 학교 도서관에 있는 책의 $\frac{3}{8}$은 위인전이고, 위인전의 $\frac{8}{9}$은 한국 위인전입니다. 한국 위인전은 도서관에 있는 책 전체의 얼마일까요?

식 : ______________ 답 : ______________

알맞은 식을 쓰고 답을 구하세요.

⑦ 지우네 집에서 공원까지의 거리는 0.8 km이었는데 새로운 길이 생기면서 0.6배로 짧아졌습니다. 지우네 집에서 공원까지 가는 새로운 길의 거리는 몇 km일까요?

식 : ______________ 답 : ______________

⑧ 재희는 길이가 0.9 m인 철사를 가지고 있고, 희준이는 재희가 가지고 있는 철사 길이의 0.76배인 철사를 가지고 있습니다. 희준이가 가지고 있는 철사의 길이는 몇 m일까요?

식 : ______________ 답 : ______________

4회차

진단평가

다음 물음에 답하세요.

① 노란색 고무 찰흙이 $\frac{4}{9}$ kg, 파란색 고무 찰흙이 $\frac{3}{8}$ kg 있습니다. 더 적게 있는 것은 무엇일까요?

답 : ____________________

② 찬우는 어제 $\frac{5}{6}$시간, 오늘 $\frac{7}{10}$시간 동안 수학 숙제를 했습니다. 어제와 오늘 중에서 수학 숙제를 더 오래 한 날은 언제일까요?

답 : __________

알맞은 식을 쓰고 답을 구하세요.

③ 민주네 집에서 은행까지의 거리는 $1\frac{2}{5}$ km이고, 은행에서 박물관까지의 거리는 $3\frac{1}{4}$ km입니다. 민주네 집에서 은행을 거쳐 박물관까지 가는 거리는 몇 km일까요?

식 : ____________________ 답 : __________

④ 정육점에서 소고기 $1\frac{4}{7}$ kg과 돼지고기 $2\frac{1}{2}$ kg을 샀습니다. 정육점에서 산 고기는 모두 몇 kg일까요?

식 : ____________________ 답 : __________

월 일	
제한 시간	15분
맞은 개수	/ 8개

알맞은 식을 쓰고 답을 구하세요.

⑤ 1 L의 휘발유로 $2\frac{6}{7}$ km를 갈 수 있는 자동차가 있습니다. 이 자동차에 $2\frac{4}{5}$ L의 휘발유가 있다고 할 때 몇 km를 갈 수 있을까요?

식 : ______________ 답 : ______________

⑥ 고양이의 무게는 $5\frac{1}{3}$ kg이고, 강아지의 무게는 고양이의 무게의 $1\frac{2}{7}$배입니다. 강아지의 몸무게는 몇 kg일까요?

식 : ______________ 답 : ______________

알맞은 식을 쓰고 답을 구하세요.

⑦ 하경이네 교실에는 세로가 2 m인 직사각형 모양의 칠판이 있습니다. 이 칠판의 가로가 세로의 2.9배일 때, 칠판의 가로는 몇 m일까요?

식 : ______________ 답 : ______________

⑧ 정은이네 집에서 주민센터까지의 거리는 4 km이고, 주민센터에서 서점까지의 거리는 정은이네 집에서 주민센터까지의 거리의 0.57배입니다. 주민센터에서 서점까지의 거리는 몇 km일까요?

식 : ______________ 답 : ______________

진단평가

다음 물음에 답하세요.

① 준규는 빵 한 개를 만드는 데 밀가루를 $\frac{9}{20}$ kg 사용하였고, 설탕을 0.42 kg 사용하였습니다. 밀가루와 설탕 중에서 어느 것을 더 많이 사용했나요?

답 : ____________

② 눈이 어제는 0.94cm 내렸고, 오늘은 $\frac{23}{25}$ cm 내렸습니다. 어제와 오늘 중에서 눈이 더 많이 내린 날은 언제일까요?

답 : ____________

알맞은 식을 쓰고 답을 구하세요.

③ 밀가루 $3\frac{3}{10}$ kg 중 $1\frac{5}{8}$ kg을 사용하여 식빵을 만들었습니다. 식빵을 만들고 남은 밀가루는 몇 kg일까요?

식 : ________________________ 답 : ____________

④ 현진이의 몸무게는 $34\frac{3}{4}$ kg이고, 원희는 현진이보다 $2\frac{5}{6}$ kg 더 가볍습니다. 원희의 몸무게는 몇 kg일까요?

식 : ________________________ 답 : ____________

	월 일
제한 시간	10분
맞은 개수	/ 8개

알맞은 식을 쓰고 답을 구하세요.

⑤ 민규네 반 학생의 $\frac{4}{9}$는 남학생이고, 남학생 중 $\frac{5}{6}$는 체육을 좋아하며 그중 $\frac{3}{4}$은 과학도 좋아합니다. 체육을 좋아하는 남학생 중 과학을 좋아하는 남학생은 전체 학생의 얼마일까요?

식 : ________________ 답 : ________

⑥ 떨어진 높이의 $\frac{1}{2}$만큼 튀어오르는 공이 있습니다. 이 공을 $\frac{6}{7}$ m의 높이에서 떨어뜨렸습니다. 공이 땅에 2번 닿았다가 튀어올랐을 때의 높이는 몇 m일까요?

식 : ________________ 답 : ________

알맞은 식을 쓰고 답을 구하세요.

⑦ 안진이는 무게가 1.6 kg인 고양이 네 마리를 키우고 있습니다. 한꺼번에 네 마리의 무게를 재면 몇 kg일까요?

식 : ________________ 답 : ________

⑧ 수민이는 우유를 하루에 0.95 L씩 2주 동안 매일 마셨습니다. 마신 우유의 양은 모두 몇 L일까요?

식 : ________________ 답 : ________

Memo

하루 10분 서술형/문장제 학습지

씨투엠

수학 독해

정답

E2 분수와 소수

초5~초6

정답

E2 분수와 소수
초5~초6

P 06 ~ 07

1일 크기가 같은 분수

분모와 분자에 0이 아닌 같은 수를 곱하거나 공약수로 나눠.

❀ 빈칸에 알맞은 수를 써넣어 크기가 같은 분수를 만들어 보세요.

◎ $\frac{2}{3}=\frac{\boxed{4}}{6}=\frac{6}{\boxed{9}}=\frac{\boxed{8}}{12}$

① $\frac{5}{8}=\frac{\boxed{10}}{16}=\frac{15}{\boxed{24}}=\frac{\boxed{20}}{32}$

② $\frac{4}{9}=\frac{\boxed{8}}{18}=\frac{\boxed{12}}{27}=\frac{16}{\boxed{36}}$

③ $\frac{16}{56}=\frac{\boxed{8}}{28}=\frac{4}{\boxed{14}}=\frac{\boxed{2}}{7}$

④ $\frac{24}{40}=\frac{\boxed{12}}{20}=\frac{6}{\boxed{10}}=\frac{\boxed{3}}{5}$

❀ 다음 물음에 답하세요.

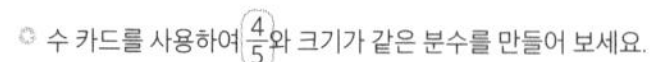
◎ 수 카드를 사용하여 $\frac{4}{5}$와 크기가 같은 분수를 만들어 보세요.

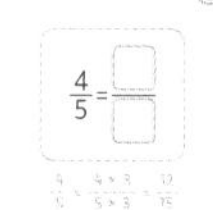
$\frac{4}{5}=\frac{\square}{\square}$ 10 12 14 15 18 답 : $\frac{12}{15}$

① 수 카드를 사용하여 $\frac{3}{7}$과 크기가 같은 분수를 만들어 보세요.

$\frac{3}{7}=\frac{\square}{\square}$ 12 18 24 28 35 답 : $\frac{12}{28}$

② 수 카드를 사용하여 $\frac{5}{6}$와 크기가 같은 분수를 만들어 보세요.

$\frac{5}{6}=\frac{\square}{\square}$ 18 24 30 36 40 답 : $\frac{30}{36}$

③ 수 카드를 사용하여 $\frac{15}{27}$와 크기가 같은 분수를 만들어 보세요.

$\frac{15}{27}=\frac{\square}{\square}$ 18 25 36 45 57 답 : $\frac{25}{45}$

6 E2-분수와 소수 | 1주: 약분과 통분 7

P 08 ~ 09

2일 약분

분모와 분자를 두 수의 최대공약수로 나누면 기약분수가 돼.

❀ 분수를 기약분수로 나타내려고 합니다. 빈칸에 알맞은 수를 써넣으세요.

◎ $\frac{4}{10}=\frac{4\div\boxed{2}}{10\div\boxed{2}}=\frac{\boxed{2}}{\boxed{5}}$이므로 $\frac{4}{10}$를 기약분수로 나타내면 $\frac{\boxed{2}}{\boxed{5}}$입니다.

① $\frac{12}{18}=\frac{12\div\boxed{6}}{18\div\boxed{6}}=\frac{\boxed{2}}{\boxed{3}}$이므로 $\frac{12}{18}$를 기약분수로 나타내면 $\frac{\boxed{2}}{\boxed{3}}$입니다.

② $\frac{16}{28}=\frac{16\div\boxed{4}}{28\div\boxed{4}}=\frac{\boxed{4}}{\boxed{7}}$이므로 $\frac{16}{28}$을 기약분수로 나타내면 $\frac{\boxed{4}}{\boxed{7}}$입니다.

③ $\frac{45}{54}=\frac{45\div\boxed{9}}{24\div\boxed{9}}=\frac{\boxed{5}}{\boxed{6}}$이므로 $\frac{45}{54}$를 기약분수로 나타내면 $\frac{\boxed{5}}{\boxed{6}}$입니다.

④ $\frac{56}{96}=\frac{56\div\boxed{8}}{96\div\boxed{8}}=\frac{\boxed{7}}{\boxed{12}}$이므로 $\frac{56}{96}$을 기약분수로 나타내면 $\frac{\boxed{7}}{\boxed{12}}$입니다.

❀ 다음 물음에 답하세요.

◎ $\frac{9}{16}$보다 작은 분수 중에서 분모가 16인 기약분수는 모두 몇 개일까요?

답 : 4개

① $\frac{8}{12}$보다 작은 분수 중에서 분모가 12인 기약분수는 모두 몇 개일까요?

$\frac{1}{12}, \frac{5}{12}, \frac{7}{12}$ 답 : 3개

② $\frac{7}{15}$보다 큰 진분수 중에서 분모가 15인 기약분수는 모두 몇 개일까요?

$\frac{8}{15}, \frac{11}{15}, \frac{13}{15}, \frac{14}{15}$ 답 : 4개

③ $\frac{13}{24}$보다 큰 진분수 중에서 분모가 24인 기약분수는 모두 몇 개일까요?

$\frac{17}{24}, \frac{19}{24}, \frac{23}{24}$ 답 : 3개

8 E2-분수와 소수 | 1주: 약분과 통분 9

P 10 ~ 11

3일 통분

분모의 곱이나 분모의 최소공배수를 공통분모로 하여 통분해.

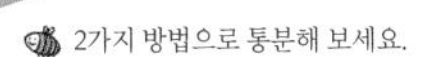

2가지 방법으로 통분해 보세요.

예 방법 1 $\left(\frac{3}{4}, \frac{1}{6}\right) \Rightarrow \left(\frac{3 \times \boxed{6}}{4 \times 6}, \frac{1 \times \boxed{4}}{6 \times \boxed{4}}\right) \Rightarrow \left(\frac{\boxed{18}}{24}, \frac{\boxed{4}}{\boxed{24}}\right)$

방법 2 $\left(\frac{3}{4}, \frac{1}{6}\right) \Rightarrow \left(\frac{3 \times \boxed{3}}{4 \times 3}, \frac{1 \times \boxed{2}}{6 \times \boxed{2}}\right) \Rightarrow \left(\frac{\boxed{9}}{12}, \frac{\boxed{2}}{\boxed{12}}\right)$

① 방법 1 $\left(\frac{5}{12}, \frac{2}{3}\right) \Rightarrow \left(\frac{5 \times \boxed{3}}{12 \times 3}, \frac{2 \times \boxed{12}}{3 \times \boxed{12}}\right) \Rightarrow \left(\frac{\boxed{15}}{36}, \frac{\boxed{24}}{\boxed{36}}\right)$

방법 2 $\left(\frac{5}{12}, \frac{2}{3}\right) \Rightarrow \left(\frac{5 \times \boxed{1}}{12 \times 1}, \frac{2 \times \boxed{4}}{3 \times \boxed{4}}\right) \Rightarrow \left(\frac{\boxed{5}}{12}, \frac{\boxed{8}}{\boxed{12}}\right)$

② 방법 1 $\left(\frac{5}{6}, \frac{8}{9}\right) \Rightarrow \left(\frac{5 \times \boxed{9}}{6 \times 9}, \frac{8 \times \boxed{6}}{9 \times \boxed{6}}\right) \Rightarrow \left(\frac{\boxed{45}}{54}, \frac{\boxed{48}}{\boxed{54}}\right)$

방법 2 $\left(\frac{5}{6}, \frac{8}{9}\right) \Rightarrow \left(\frac{5 \times \boxed{3}}{6 \times 3}, \frac{8 \times \boxed{2}}{9 \times \boxed{4}}\right) \Rightarrow \left(\frac{\boxed{15}}{18}, \frac{\boxed{16}}{\boxed{18}}\right)$

③ 방법 1 $\left(\frac{5}{8}, \frac{7}{12}\right) \Rightarrow \left(\frac{5 \times \boxed{12}}{8 \times 12}, \frac{7 \times \boxed{8}}{12 \times \boxed{8}}\right) \Rightarrow \left(\frac{\boxed{60}}{96}, \frac{\boxed{56}}{\boxed{96}}\right)$

방법 2 $\left(\frac{5}{8}, \frac{7}{12}\right) \Rightarrow \left(\frac{5 \times \boxed{3}}{8 \times 3}, \frac{7 \times \boxed{2}}{12 \times \boxed{2}}\right) \Rightarrow \left(\frac{\boxed{15}}{24}, \frac{\boxed{14}}{\boxed{24}}\right)$

다음 물음에 답하세요.

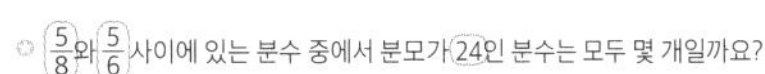

예 $\frac{5}{8}$와 $\frac{5}{6}$ 사이에 있는 분수 중에서 분모가 24인 분수는 모두 몇 개일까요?

두 분수를 통분하면 $\left(\frac{5}{8}, \frac{5}{6}\right) \Rightarrow \left(\frac{15}{24}, \frac{20}{24}\right)$
두 분수 사이의 분수는 $\frac{16}{24}, \frac{17}{24}, \frac{18}{24}, \frac{19}{24}$

답: 4개

① $\frac{1}{3}$과 $\frac{3}{5}$ 사이에 있는 분수 중에서 분모가 15인 분수는 모두 몇 개일까요?

$\frac{6}{15}, \frac{7}{15}, \frac{8}{15}$

답: 3개

② $\frac{5}{8}$보다 크고 $\frac{7}{10}$보다 작은 분수 중에서 분모가 80인 분수는 모두 몇 개일까요?

$\frac{51}{80}, \frac{52}{80}, \frac{53}{80}, \frac{54}{80}, \frac{55}{80}$

답: 5개

③ $\frac{4}{9}$와 $\frac{11}{18}$ 사이에 있는 분수 중에서 분모가 36인 기약분수는 모두 몇 개일까요?

$\frac{17}{36}, \frac{19}{36}$

답: 2개

P 12 ~ 13

4일 분수의 크기 비교

분모의 최소공배수를 이용하여 통분한 후 분자의 크기를 비교해.

□ 안에 알맞은 수를 써넣고, ○ 안에 >, <를 알맞게 써넣으세요.

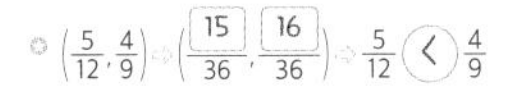

예 $\left(\frac{5}{12}, \frac{4}{9}\right) \Rightarrow \left(\frac{\boxed{15}}{36}, \frac{\boxed{16}}{36}\right) \Rightarrow \frac{5}{12} < \frac{4}{9}$

① $\left(\frac{2}{5}, \frac{3}{10}\right) \Rightarrow \left(\frac{\boxed{4}}{10}, \frac{\boxed{3}}{10}\right) \Rightarrow \frac{2}{5} > \frac{3}{10}$

② $\left(\frac{3}{4}, \frac{5}{6}\right) \Rightarrow \left(\frac{\boxed{9}}{12}, \frac{\boxed{10}}{12}\right) \Rightarrow \frac{3}{4} < \frac{5}{6}$

③ $\left(\frac{8}{15}, \frac{11}{20}\right) \Rightarrow \left(\frac{\boxed{32}}{60}, \frac{\boxed{33}}{\boxed{60}}\right) \Rightarrow \frac{8}{15} < \frac{11}{20}$

④ $\left(\frac{3}{8}, \frac{7}{18}\right) \Rightarrow \left(\frac{\boxed{27}}{72}, \frac{\boxed{28}}{\boxed{72}}\right) \Rightarrow \frac{3}{8} < \frac{7}{18}$

다음 물음에 답하세요.

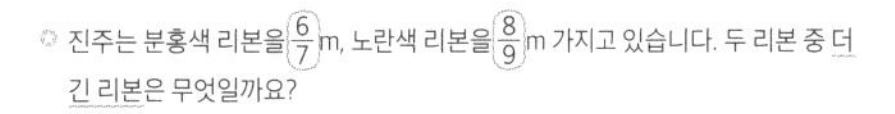

예 진주는 분홍색 리본을 $\frac{6}{7}$m, 노란색 리본을 $\frac{8}{9}$m 가지고 있습니다. 두 리본 중 더 긴 리본은 무엇일까요?

$\left(\frac{6}{7}, \frac{8}{9}\right) \Rightarrow \left(\frac{54}{63}, \frac{56}{63}\right) \Rightarrow \frac{6}{7} < \frac{8}{9}$

답: 노란색 리본

① 체험 학습에서 딸기를 소진이는 $\frac{2}{3}$ kg, 영호는 $\frac{7}{9}$ kg을 땄습니다. 딸기를 더 많이 딴 사람은 누구일까요?

$\left(\frac{2}{3}, \frac{7}{9}\right) \Rightarrow \left(\frac{6}{9}, \frac{7}{9}\right) \Rightarrow \frac{2}{3} < \frac{7}{9}$

답: 영호

② 부엌에 소금이 $\frac{5}{9}$ kg, 설탕이 $\frac{6}{11}$ kg 있습니다. 더 적게 있는 것은 무엇일까요?

$\left(\frac{5}{9}, \frac{6}{11}\right) \Rightarrow \left(\frac{55}{99}, \frac{54}{99}\right) \Rightarrow \frac{5}{9} > \frac{6}{11}$

답: 설탕

③ 동호는 어제 $\frac{7}{12}$시간, 오늘 $\frac{5}{8}$시간 동안 축구를 했습니다. 어제와 오늘 중에서 축구를 더 많이 한 날은 언제일까요?

$\left(\frac{7}{12}, \frac{5}{8}\right) \Rightarrow \left(\frac{14}{24}, \frac{15}{24}\right) \Rightarrow \frac{7}{12} < \frac{5}{8}$

답: 오늘

P 14 ~ 15

5일 분수와 소수의 크기 비교

분모가 같은 분수로 나타내거나 소수로 바꾼 후 크기를 비교해.

❀ 2가지 방법으로 크기를 비교해 보세요.

◎ 0.7과 $\frac{3}{5}$

방법 1 $\frac{3}{5}=\frac{6}{10}=0.6$ 이므로 $0.7 > \frac{3}{5}$

방법 2 $0.7=\frac{7}{10}$ 이고 $\frac{3}{5}=\frac{6}{10}$ 이므로 $0.7 > \frac{3}{5}$

① 0.75와 $\frac{39}{50}$

방법 1 $\frac{39}{50}=\frac{78}{100}=0.78$ 이므로 $0.75 < \frac{39}{50}$

방법 2 $0.75=\frac{75}{100}$ 이고 $\frac{39}{50}=\frac{78}{100}$ 이므로 $0.75 < \frac{39}{50}$

② 0.26과 $\frac{1}{4}$

방법 1 $\frac{1}{4}=\frac{25}{100}=0.25$ 이므로 $0.26 > \frac{1}{4}$

방법 2 $0.26=\frac{26}{100}$ 이고 $\frac{1}{4}=\frac{25}{100}$ 이므로 $0.26 > \frac{1}{4}$

❀ 다음 물음에 답하세요.

◎ 서희네 집에서 학교까지의 거리는 $\frac{13}{20}$ km이고, 서희네 집에서 우체국까지의 거리는 0.6 km입니다. 학교와 우체국 중 서희네 집에서 더 먼 곳은 어디일까요?

$\frac{13}{20}=\frac{65}{100}=0.65$이므로 $\frac{13}{20}>0.6$

답 : 학교

① 포도를 정민이는 $\frac{23}{50}$ kg, 효범이는 0.48 kg을 땄습니다. 포도를 더 많이 딴 사람은 누구일까요?

$\frac{23}{50}=\frac{46}{100}=0.46$이므로 $\frac{23}{50}<0.48$

답 : 효범

② 원희는 과자 한 봉지를 만드는 데 밀가루를 $\frac{5}{8}$ kg 사용하였고, 빵 한 개를 만드는 데 밀가루를 0.72 kg 사용하였습니다. 과자와 빵 중에서 어느 것을 만드는 데 밀가루를 더 많이 사용했나요?

$\frac{5}{8}=\frac{625}{1000}=0.625$이므로 $\frac{5}{8}<0.72$

답 : 빵

③ 비가 어제는 0.14 cm 내렸고, 오늘은 $\frac{4}{25}$ cm 내렸습니다. 어제와 오늘 중에서 비가 더 적게 내린 날은 언제일까요?

$\frac{4}{25}=\frac{16}{100}=0.16$이므로 $0.14<\frac{4}{25}$

답 : 어제

P 16 ~ 17

확인학습

✎ 다음 물음에 답하세요.

① 수 카드를 사용하여 $\frac{3}{8}$과 크기가 같은 분수를 만들어 보세요.

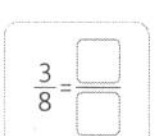

10 12 24 32 36

답 : $\frac{12}{32}$

② 수 카드를 사용하여 $\frac{5}{7}$와 크기가 같은 분수를 만들어 보세요.

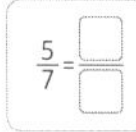

21 25 28 35 40

답 : $\frac{25}{35}$

✎ 다음 물음에 답하세요.

③ $\frac{7}{10}$보다 작은 분수 중에서 분모가 10인 기약분수는 모두 몇 개일까요?

$\frac{1}{10}, \frac{3}{10}$

답 : 2개

④ $\frac{5}{18}$보다 큰 진분수 중에서 분모가 18인 기약분수는 모두 몇 개일까요?

$\frac{7}{18}, \frac{11}{18}, \frac{13}{18}, \frac{17}{18}$

답 : 4개

✎ 다음 물음에 답하세요.

⑤ $\frac{1}{4}$과 $\frac{5}{6}$ 사이에 있는 분수 중에서 분모가 12인 분수는 모두 몇 개일까요?

$\frac{4}{12}, \frac{5}{12}, \frac{6}{12}, \frac{7}{12}, \frac{8}{12}, \frac{9}{12}$

답 : 6개

⑥ $\frac{3}{7}$보다 크고 $\frac{9}{14}$보다 작은 분수 중에서 분모가 28인 분수는 모두 몇 개일까요?

$\frac{13}{28}, \frac{14}{28}, \frac{15}{28}, \frac{16}{28}, \frac{17}{28}$

답 : 5개

✎ 다음 물음에 답하세요.

⑦ 새롬이는 굵은 철사 $\frac{7}{8}$ m, 가는 철사 $\frac{9}{11}$ m를 가지고 있습니다. 두 철사 중 더 긴 철사는 무엇일까요?

$\left(\frac{7}{8}, \frac{9}{11}\right) \Rightarrow \left(\frac{77}{88}, \frac{72}{88}\right) \Rightarrow \frac{7}{8} > \frac{9}{11}$

답 : 굵은 철사

⑧ 과수원에서 방울 토마토를 호길이는 $\frac{3}{4}$ kg, 주현이는 $\frac{7}{9}$ kg을 땄습니다. 방울 토마토를 더 많이 딴 사람은 누구일까요?

$\left(\frac{3}{4}, \frac{7}{9}\right) \Rightarrow \left(\frac{27}{36}, \frac{28}{36}\right) \Rightarrow \frac{3}{4} < \frac{7}{9}$

답 : 주현

P 18

확인학습

2가지 방법으로 크기를 비교해 보세요.

⑨ 0.53과 $\frac{13}{25}$

방법 1 $\frac{13}{25}=\frac{52}{100}=0.52$ 이므로 $0.53 > \frac{13}{25}$

방법 2 $0.53=\frac{53}{100}$ 이고 $\frac{13}{25}=\frac{52}{100}$ 이므로 $0.53 > \frac{13}{25}$

⑩ 0.74와 $\frac{3}{4}$

방법 1 $\frac{3}{4}=\frac{75}{100}=0.75$ 이므로 $0.74 < \frac{3}{4}$

방법 2 $0.74=\frac{74}{100}$ 이고 $\frac{3}{4}=\frac{75}{100}$ 이므로 $0.74 < \frac{3}{4}$

다음 물음에 답하세요.

⑪ 수지네 집에서 도서관까지의 거리는 $\frac{17}{25}$ km이고, 수지네 집에서 병원까지의 거리는 0.7 km입니다. 도서관과 병원 중 수지네 집에서 더 먼 곳은 어디일까요?

$\frac{17}{25}=\frac{68}{100}=0.68$이므로 $\frac{17}{25} < 0.7$

답 : 병원

⑫ 밭에서 감자를 선우는 $\frac{41}{50}$ kg, 현희는 0.84 kg 캤습니다. 감자를 더 많이 캔 사람은 누구일까요?

$\frac{41}{50}=\frac{82}{100}=0.82$이므로 $\frac{41}{50} < 0.84$

답 : 현희

18 E2-분수와 소수

2주 분수의 덧셈과 뺄셈

P 20 ~ 21

1일 분수의 덧셈(1)

두 분모의 곱 또는 최소공배수를 공통분모로 하여 통분한 후 계산해.

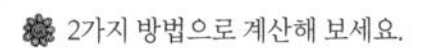

2가지 방법으로 계산해 보세요.

○ 방법 1 $\frac{3}{4}+\frac{5}{6}=\frac{3\times6}{4\times6}+\frac{5\times4}{6\times4}=\frac{18}{24}+\frac{20}{24}=\frac{38}{24}=1\frac{14}{24}=1\frac{7}{12}$

방법 2 $\frac{3}{4}+\frac{5}{6}=\frac{3\times3}{4\times3}+\frac{5\times2}{6\times2}=\frac{9}{12}+\frac{10}{12}=\frac{19}{12}=1\frac{7}{12}$

① 방법 1 $\frac{1}{6}+\frac{3}{8}=\frac{1\times8}{6\times8}+\frac{3\times6}{8\times6}=\frac{8}{48}+\frac{18}{48}=\frac{26}{48}=\frac{13}{24}$

방법 2 $\frac{1}{6}+\frac{3}{8}=\frac{1\times4}{6\times4}+\frac{3\times3}{8\times3}=\frac{4}{24}+\frac{9}{24}=\frac{13}{24}$

② 방법 1 $\frac{5}{8}+\frac{7}{12}=\frac{5\times12}{8\times12}+\frac{7\times8}{12\times8}=\frac{60}{96}+\frac{56}{96}=\frac{116}{96}=1\frac{20}{96}=1\frac{5}{24}$

방법 2 $\frac{5}{8}+\frac{7}{12}=\frac{5\times3}{8\times3}+\frac{7\times2}{12\times2}=\frac{15}{24}+\frac{14}{24}=\frac{29}{24}=1\frac{5}{24}$

알맞은 식을 쓰고 답을 구하세요.

○ 진희는 오늘 오전에 $\frac{1}{4}$L의 우유를 마시고 오후에 $\frac{5}{6}$L의 우유를 마셨습니다. 진희가 오늘 마신 우유는 모두 몇 L 일까요?

식: $\frac{1}{4}+\frac{5}{6}=1\frac{1}{12}$ 답: $1\frac{1}{12}$ L

(오늘 마신 우유의 양) = (오전에 마신 우유의 양) + (오후에 마신 우유의 양)

① 길이가 $\frac{1}{5}$ m인 초록색 끈과 $\frac{2}{7}$ m인 빨간색 끈을 겹치지 않게 이었습니다. 이은 색 끈의 길이는 모두 몇 m일까요?

식: $\frac{1}{5}+\frac{2}{7}=\frac{17}{35}$ 답: $\frac{17}{35}$ m

② 지율이는 훌라후프를 $\frac{1}{6}$시간 동안 연습하였고, 수현이는 $\frac{3}{4}$시간 동안 연습하였습니다. 두 사람이 훌라후프를 연습한 시간은 모두 몇 시간일까요?

식: $\frac{1}{6}+\frac{3}{4}=\frac{11}{12}$ 답: $\frac{11}{12}$ 시간

③ 주말농장에서 고구마를 소민이는 $\frac{5}{12}$ kg 캤고, 준정이는 $\frac{7}{9}$ kg 캤습니다. 소민이와 준정이가 캔 고구마는 모두 몇 kg일까요?

식: $\frac{5}{12}+\frac{7}{9}=1\frac{7}{36}$ 답: $1\frac{7}{36}$ kg

P 22 ~ 23

2일 분수의 덧셈(2)

자연수와 분수를 각각 계산하거나 가분수로 고친 후 계산해.

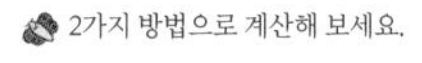

2가지 방법으로 계산해 보세요.

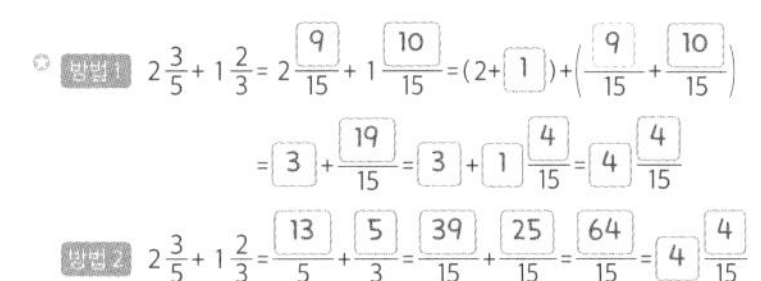

○ 방법 1 $2\frac{3}{5}+1\frac{2}{3}=2\frac{9}{15}+1\frac{10}{15}=(2+1)+(\frac{9}{15}+\frac{10}{15})$
$=3+\frac{19}{15}=3+1\frac{4}{15}=4\frac{4}{15}$

방법 2 $2\frac{3}{5}+1\frac{2}{3}=\frac{13}{5}+\frac{5}{3}=\frac{39}{15}+\frac{25}{15}=\frac{64}{15}=4\frac{4}{15}$

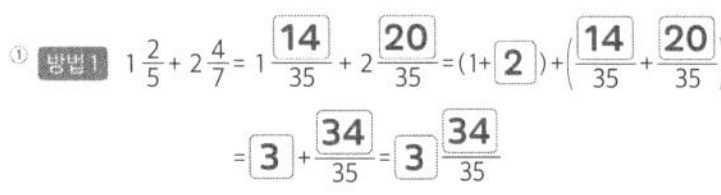

① 방법 1 $1\frac{2}{5}+2\frac{4}{7}=1\frac{14}{35}+2\frac{20}{35}=(1+2)+(\frac{14}{35}+\frac{20}{35})$
$=3+\frac{34}{35}=3\frac{34}{35}$

방법 2 $1\frac{2}{5}+2\frac{4}{7}=\frac{7}{5}+\frac{18}{7}=\frac{49}{35}+\frac{90}{35}=\frac{139}{35}=3\frac{34}{35}$

② 방법 1 $3\frac{1}{4}+1\frac{5}{6}=3\frac{3}{12}+1\frac{10}{12}=(3+1)+(\frac{3}{12}+\frac{10}{12})$
$=4+\frac{13}{12}=4+1\frac{1}{12}=5\frac{1}{12}$

방법 2 $3\frac{1}{4}+1\frac{5}{6}=\frac{13}{4}+\frac{11}{6}=\frac{39}{12}+\frac{22}{12}=\frac{61}{12}=5\frac{1}{12}$

알맞은 식을 쓰고 답을 구하세요.

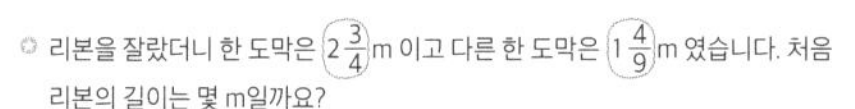

○ 리본을 잘랐더니 한 도막은 $2\frac{3}{4}$m 이고 다른 한 도막은 $1\frac{4}{9}$m 였습니다. 처음 리본의 길이는 몇 m일까요?

식: $2\frac{3}{4}+1\frac{4}{9}=4\frac{7}{36}$ 답: $4\frac{7}{36}$ m

(처음 리본의 길이) = (한 도막의 길이) + (다른 한 도막의 길이)

① 현정이네 집에서 학교까지의 거리는 $3\frac{1}{3}$ km이고, 학교에서 주민센터까지의 거리는 $2\frac{1}{5}$ km입니다. 현정이네 집에서 학교를 거쳐 주민센터까지 가는 거리는 몇 km 일까요?

식: $3\frac{1}{3}+2\frac{1}{5}=5\frac{8}{15}$ 답: $5\frac{8}{15}$ km

② 운동을 세형이는 $1\frac{5}{6}$시간 동안 했고, 명진이는 세형이보다 $1\frac{1}{4}$시간 더 했습니다. 명진이가 운동을 한 시간은 몇 시간일까요?

식: $1\frac{5}{6}+1\frac{1}{4}=3\frac{1}{12}$ 답: $3\frac{1}{12}$ 시간

③ 가로가 $3\frac{8}{9}$ cm이고 세로가 $4\frac{1}{6}$ cm인 직사각형이 있습니다. 이 직사각형의 가로와 세로의 합은 몇 cm일까요?

식: $3\frac{8}{9}+4\frac{1}{6}=8\frac{1}{18}$ 답: $8\frac{1}{18}$ cm

P 24 ~ 25

3일 분수의 뺄셈(1)

두 분모의 곱 또는 최소
공배수를 공통분모로 하여
통분한 후 계산해.

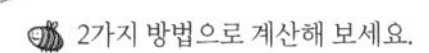

2가지 방법으로 계산해 보세요.

○ 방법 1 $\frac{5}{8}-\frac{1}{6}=\frac{5\times 6}{8\times 6}-\frac{1\times 8}{6\times 8}=\frac{30}{48}-\frac{8}{48}=\frac{22}{48}=\frac{11}{24}$

방법 2 $\frac{5}{8}-\frac{1}{6}=\frac{5\times 3}{8\times 3}-\frac{1\times 4}{6\times 4}=\frac{15}{24}-\frac{4}{24}=\frac{11}{24}$

① 방법 1 $\frac{3}{4}-\frac{1}{10}=\frac{3\times 10}{4\times 10}-\frac{1\times 4}{10\times 4}=\frac{30}{40}-\frac{4}{40}=\frac{26}{40}=\frac{13}{20}$

방법 2 $\frac{3}{4}-\frac{1}{10}=\frac{3\times 5}{4\times 5}-\frac{1\times 2}{10\times 2}=\frac{15}{20}-\frac{2}{20}=\frac{13}{20}$

② 방법 1 $\frac{5}{12}-\frac{3}{8}=\frac{5\times 8}{12\times 8}-\frac{3\times 12}{8\times 12}=\frac{40}{96}-\frac{36}{96}=\frac{4}{96}=\frac{1}{24}$

방법 2 $\frac{5}{12}-\frac{3}{8}=\frac{5\times 2}{12\times 2}-\frac{3\times 3}{8\times 3}=\frac{10}{24}-\frac{9}{24}=\frac{1}{24}$

알맞은 식을 쓰고 답을 구하세요.

○ 장식품을 만드는 데 철사를 지은이는 $\frac{1}{4}$m 사용하고, 민성이는 $\frac{5}{6}$m 사용하였습니다. 민성이는 지은이보다 철사를 몇 m 더 사용하였을까요?

식 : $\frac{5}{6}-\frac{1}{4}=\frac{7}{12}$ 답 : $\frac{7}{12}$ m

(더 사용한 철사의 양)
=(민성이가 사용한 철사의 양)-(지은이가 사용한 철사의 양)

① 페인트 $\frac{7}{12}$ L 중에서 $\frac{4}{9}$ L를 사용하였습니다. 남은 페인트는 몇 L 일까요?

식 : $\frac{7}{12}-\frac{4}{9}=\frac{5}{36}$ 답 : $\frac{5}{36}$ L

② 설탕이 ㉮ 그릇에는 $\frac{5}{6}$ kg 들어 있고, ㉯ 그릇에는 $\frac{1}{9}$ kg 들어 있습니다. ㉮ 그릇에 있는 설탕은 ㉯ 그릇에 있는 설탕보다 몇 kg 더 많이 들어 있을까요?

식 : $\frac{5}{6}-\frac{1}{9}=\frac{13}{18}$ 답 : $\frac{13}{18}$ kg

③ 지연이와 현성이가 달리기를 했습니다. 지연이는 $\frac{9}{10}$ km를 달렸고, 현성이는 $\frac{5}{8}$ km를 달렸습니다. 지연이는 현성이보다 몇 km 더 달렸을까요?

식 : $\frac{9}{10}-\frac{5}{8}=\frac{11}{40}$ 답 : $\frac{11}{40}$ km

P 26 ~ 27

4일 분수의 뺄셈(2)

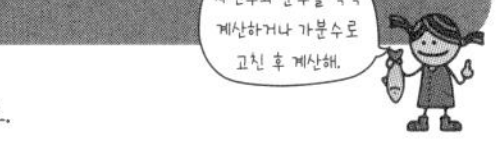
자연수와 분수를 각각
계산하거나 가분수로
고친 후 계산해.

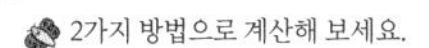

2가지 방법으로 계산해 보세요.

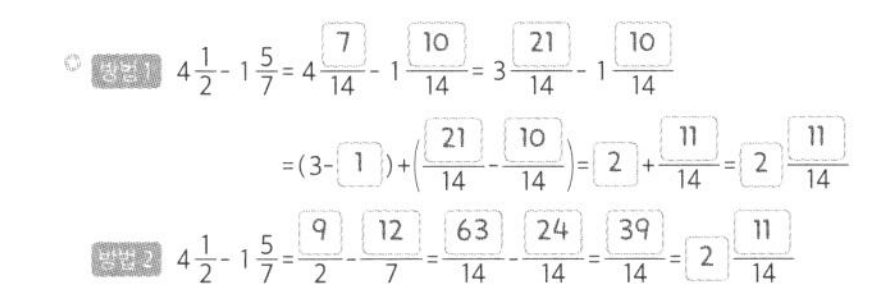

○ 방법 1 $4\frac{1}{2}-1\frac{5}{7}=4\frac{7}{14}-1\frac{10}{14}=3\frac{21}{14}-1\frac{10}{14}$

$=(3-1)+\left(\frac{21}{14}-\frac{10}{14}\right)=2+\frac{11}{14}=2\frac{11}{14}$

방법 2 $4\frac{1}{2}-1\frac{5}{7}=\frac{9}{2}-\frac{12}{7}=\frac{63}{14}-\frac{24}{14}=\frac{39}{14}=2\frac{11}{14}$

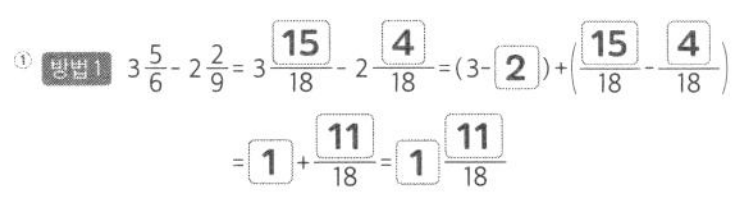

① 방법 1 $3\frac{5}{6}-2\frac{2}{9}=3\frac{15}{18}-2\frac{4}{18}=(3-2)+\left(\frac{15}{18}-\frac{4}{18}\right)$

$=1+\frac{11}{18}=1\frac{11}{18}$

방법 2 $3\frac{5}{6}-2\frac{2}{9}=\frac{23}{6}-\frac{20}{9}=\frac{69}{18}-\frac{40}{18}=\frac{29}{18}=1\frac{11}{18}$

② 방법 1 $3\frac{1}{6}-1\frac{3}{8}=3\frac{4}{24}-1\frac{9}{24}=2\frac{28}{24}-1\frac{9}{24}$

$=(2-1)+\left(\frac{28}{24}-\frac{9}{24}\right)=1+\frac{19}{24}=1\frac{19}{24}$

방법 2 $3\frac{1}{6}-1\frac{3}{8}=\frac{19}{6}-\frac{11}{8}=\frac{76}{24}-\frac{33}{24}=\frac{43}{24}=1\frac{19}{24}$

알맞은 식을 쓰고 답을 구하세요.

○ 어느 제과점에서 밀가루 $6\frac{3}{8}$kg 중 $3\frac{2}{3}$kg을 사용하였습니다. 남아 있는 밀가루는 몇 kg일까요?

식 : $6\frac{3}{8}-3\frac{2}{3}=2\frac{17}{24}$ 답 : $2\frac{17}{24}$ kg

(남아 있는 밀가루의 양)
=(전체 밀가루의 양)-(사용한 밀가루의 양)

① 자전거를 타고 진우는 $3\frac{5}{6}$ km를 갔고, 희준이는 $2\frac{1}{4}$ km를 갔습니다. 진우는 희준이보다 몇 km 더 갔을까요?

식 : $3\frac{5}{6}-2\frac{1}{4}=1\frac{7}{12}$ 답 : $1\frac{7}{12}$ km

② 재활용품을 연범이는 $5\frac{3}{7}$ kg 모았고, 승민이는 연범이보다 $1\frac{1}{2}$ kg 적게 모았습니다. 승민이는 재활용품을 몇 kg 모았을까요?

식 : $5\frac{3}{7}-1\frac{1}{2}=3\frac{13}{14}$ 답 : $3\frac{13}{14}$ kg

③ 빈 물통에 물을 $7\frac{1}{8}$ L 넣었다가 $5\frac{2}{5}$ L를 덜어냈습니다. 물통에 들어 있는 물의 양은 몇 L 일까요?

식 : $7\frac{1}{8}-5\frac{2}{5}=1\frac{29}{40}$ 답 : $1\frac{29}{40}$ L

P 28 ~ 29

5일 분수의 덧셈과 뺄셈

더해야 하는 상황과 빼야 하는 상황을 잘 구분하도록 해.

알맞은 풀이를 쓰고 답을 구하세요.

◎ 한나는 항공박물관까지 $\frac{3}{5}$시간은 버스를 타고, $\frac{2}{3}$시간은 지하철을 타고 갔습니다. 한나가 항공박물관까지 가는 데 걸린 시간은 몇 시간일까요?

풀이: (항공박물관까지 가는 데 걸린 시간)
= (버스로 간 시간) + (지하철로 간 시간)
$= \frac{3}{5} + \frac{2}{3} = 1\frac{4}{15}$ (시간)

답: $1\frac{4}{15}$ 시간

① 청포도의 무게는 $3\frac{5}{9}$ kg이고, 한라봉의 무게는 $2\frac{2}{3}$ kg입니다. 청포도는 한라봉보다 몇 kg 더 무거울까요?

풀이: (두 과일의 무게의 차)
= (청포도의 무게) − (한라봉의 무게)
$= 3\frac{5}{9} - 2\frac{2}{3} = \frac{8}{9}$ (kg)

답: $\frac{8}{9}$ kg

② 딸기 $2\frac{3}{4}$ kg과 설탕 $1\frac{3}{14}$ kg을 섞어 딸기잼을 만들었습니다. 딸기잼은 몇 kg일까요?

풀이: (딸기잼의 무게)
= (딸기의 무게) + (설탕의 무게)
$= 2\frac{3}{4} + 1\frac{3}{14} = 3\frac{27}{28}$ (kg)

답: $3\frac{27}{28}$ kg

③ 빵을 만드는 데 필요한 우유는 $3\frac{1}{4}$컵입니다. 현재 현지가 가지고 있는 우유는 $\frac{5}{6}$컵입니다. 더 필요한 우유의 양은 몇 컵일까요?

풀이: (더 필요한 우유의 양)
= (빵을 만드는 데 필요한 우유의 양) − (가지고 있는 우유의 양)
$= 3\frac{1}{4} - \frac{5}{6} = 2\frac{5}{12}$ (컵)

답: $2\frac{5}{12}$ 컵

P 30 ~ 31

확인학습

알맞은 식을 쓰고 답을 구하세요.

① 주민이는 줄넘기를 $\frac{1}{4}$시간 동안 연습하였고, 세형이는 $\frac{3}{10}$시간 동안 연습하였습니다. 두 사람이 줄넘기를 연습한 시간은 모두 몇 시간일까요?

식: $\frac{1}{4} + \frac{3}{10} = \frac{11}{20}$ 답: $\frac{11}{20}$ 시간

② 소휘는 어제 $\frac{1}{2}$ L의 주스를 마시고, 오늘 $\frac{2}{3}$ L의 주스를 마셨습니다. 소휘가 어제와 오늘 마신 주스는 모두 몇 L일까요?

식: $\frac{1}{2} + \frac{2}{3} = 1\frac{1}{6}$ 답: $1\frac{1}{6}$ L

③ 민지가 가지고 있는 리본은 $3\frac{1}{6}$ m이고, 형재가 가지고 있는 리본은 $1\frac{3}{8}$ m입니다. 두 사람이 가지고 있는 리본의 길이는 몇 m일까요?

식: $3\frac{1}{6} + 1\frac{3}{8} = 4\frac{13}{24}$ 답: $4\frac{13}{24}$ m

④ 고구마가 $4\frac{5}{9}$ kg, 감자가 $3\frac{11}{15}$ kg 있습니다. 고구마와 감자의 무게는 모두 몇 kg일까요?

식: $4\frac{5}{9} + 3\frac{11}{15} = 8\frac{13}{45}$ 답: $8\frac{13}{45}$ kg

알맞은 식을 쓰고 답을 구하세요.

⑤ 선물을 포장하는 데 리본을 효준이는 $\frac{3}{4}$ m 사용하였고, 정현이는 $\frac{4}{7}$ m 사용하였습니다. 효준이는 정현이보다 리본을 몇 m 더 사용하였을까요?

식: $\frac{3}{4} - \frac{4}{7} = \frac{5}{28}$ 답: $\frac{5}{28}$ m

⑥ 밀가루가 ㉮ 그릇에는 $\frac{5}{8}$ kg 들어 있고, ㉯ 그릇에는 $\frac{1}{6}$ kg 들어 있습니다. ㉮ 그릇에 있는 밀가루는 ㉯ 그릇에 있는 밀가루보다 몇 kg 더 많을까요?

식: $\frac{5}{8} - \frac{1}{6} = \frac{11}{24}$ 답: $\frac{11}{24}$ kg

⑦ 학교에서 우현이네 집까지의 거리는 $2\frac{5}{6}$ km이고, 학교에서 준혁이네 집까지의 거리는 $1\frac{1}{9}$ km입니다. 학교에서 우현이네 집까지의 거리는 학교에서 준혁이네 집까지의 거리보다 몇 km 더 멀까요?

식: $2\frac{5}{6} - 1\frac{1}{9} = 1\frac{13}{18}$ 답: $1\frac{13}{18}$ km

⑧ 종후는 찰흙 $4\frac{3}{10}$ kg 중에서 미술 작품을 만드는 데 $2\frac{3}{4}$ kg을 사용하였습니다. 남아 있는 찰흙은 몇 kg일까요?

식: $4\frac{3}{10} - 2\frac{3}{4} = 1\frac{11}{20}$ 답: $1\frac{11}{20}$ kg

P 32

확인학습

알맞은 풀이를 쓰고 답을 구하세요.

⑨ 주현이는 시청까지 $\frac{1}{4}$시간은 버스를 타고, $\frac{9}{10}$시간은 지하철을 타고 갔습니다. 주현이가 시청까지 가는 데 걸린 시간은 몇 시간일까요?

풀이 : (시청까지 가는 데 걸린 시간)
= (버스로 간 시간) + (지하철로 간 시간)
$= \frac{1}{4} + \frac{9}{10} = 1\frac{3}{20}$ (시간)

답 : $1\frac{3}{20}$ 시간

⑩ 무게가 $1\frac{1}{6}$ kg인 바구니에 수박을 담아 무게를 재어 보니 $5\frac{3}{4}$ kg이었습니다. 수박의 무게는 몇 kg일까요?

풀이 : (수박의 무게)
= (바구니에 수박을 담아 재었을 때의 무게) − (바구니의 무게)
$= 5\frac{3}{4} - 1\frac{1}{6} = 4\frac{7}{12}$ (kg)

답 : $4\frac{7}{12}$ kg

32 E2-분수와 소수

P 34 ~ 35

1일 (분수)×(자연수)

2가지 방법으로 계산해 보세요.

◎ 방법 1 $\frac{5}{8}\times 6=\frac{5\times 6}{8}=\frac{\overset{15}{\cancel{30}}}{\underset{4}{\cancel{8}}}=\frac{15}{4}=3\frac{3}{4}$

방법 2 $\frac{5}{8}\times 6=\frac{5\times \overset{3}{\cancel{6}}}{\underset{4}{\cancel{8}}}=\frac{15}{4}=3\frac{3}{4}$

① 방법 1 $\frac{5}{6}\times 18=\frac{5\times 18}{6}=\frac{\overset{15}{\cancel{90}}}{\underset{1}{\cancel{6}}}=\frac{15}{1}=15$

방법 2 $\frac{5}{6}\times 18=\frac{5\times \overset{3}{\cancel{18}}}{\underset{1}{\cancel{6}}}=\frac{15}{1}=15$

② 방법 1 $1\frac{9}{10}\times 4=\frac{19}{10}\times 4=\frac{19\times 4}{10}=\frac{\overset{38}{\cancel{76}}}{\underset{5}{\cancel{10}}}=\frac{38}{5}=7\frac{3}{5}$

방법 2 $1\frac{9}{10}\times 4=\frac{19}{10}\times 4=\frac{19\times \overset{2}{\cancel{4}}}{\underset{5}{\cancel{10}}}=\frac{38}{5}=7\frac{3}{5}$

알맞은 식을 쓰고 답을 구하세요.

◎ 주스가 $\frac{3}{8}$ L씩 들어 있는 컵이 5개 있습니다. 주스는 모두 몇 L일까요?

식 : $\frac{3}{8}\times 5=1\frac{7}{8}$ 답 : $1\frac{7}{8}$ L

(주스 전체의 양)
=(컵 하나에 들어 있는 주스의 양)×(컵의 수)

① 미술 시간에 한 명이 철사를 $\frac{4}{9}$ m씩 사용하려고 합니다. 15명이 사용하려면 철사는 모두 몇 m 필요할까요?

식 : $\frac{4}{9}\times 15=6\frac{2}{3}$ 답 : $6\frac{2}{3}$ m

② 한 명이 부침개 한 판의 $\frac{5}{8}$씩 먹으려고 합니다. 16명이 먹으려면 부침개는 모두 몇 판이 필요할까요?

식 : $\frac{5}{8}\times 16=10$ 답 : 10판

③ 과자 한 상자의 무게는 $1\frac{7}{8}$ kg입니다. 과자 4상자의 무게는 모두 몇 kg일까요?

식 : $1\frac{7}{8}\times 4=7\frac{1}{2}$ 답 : $7\frac{1}{2}$ kg

P 36 ~ 37

2일 (자연수)×(분수)

자연수와 분수의 분자를
곱하여 계산해.

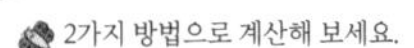

2가지 방법으로 계산해 보세요.

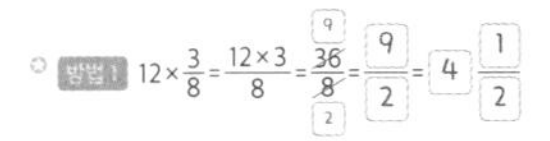

◎ 방법 1 $12\times\frac{3}{8}=\frac{12\times 3}{8}=\frac{\overset{9}{\cancel{36}}}{\underset{2}{\cancel{8}}}=\frac{9}{2}=4\frac{1}{2}$

방법 2 $12\times\frac{3}{8}=\frac{\overset{3}{\cancel{12}}\times 3}{\underset{2}{\cancel{8}}}=\frac{9}{2}=4\frac{1}{2}$

① 방법 1 $16\times\frac{5}{8}=\frac{16\times 5}{8}=\frac{\overset{10}{\cancel{80}}}{\underset{1}{\cancel{8}}}=\frac{10}{1}=10$

방법 2 $16\times\frac{5}{8}=\frac{\overset{2}{\cancel{16}}\times 5}{\underset{1}{\cancel{8}}}=\frac{10}{1}=10$

② 방법 1 $9\times 1\frac{5}{6}=9\times\frac{11}{6}=\frac{9\times 11}{6}=\frac{\overset{33}{\cancel{99}}}{\underset{2}{\cancel{6}}}=\frac{33}{2}=16\frac{1}{2}$

방법 2 $9\times 1\frac{5}{6}=9\times\frac{11}{6}=\frac{\overset{3}{\cancel{9}}\times 11}{\underset{2}{\cancel{6}}}=\frac{33}{2}=16\frac{1}{2}$

알맞은 식을 쓰고 답을 구하세요.

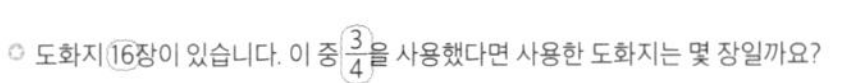

◎ 도화지 16장이 있습니다. 이 중 $\frac{3}{4}$을 사용했다면 사용한 도화지는 몇 장일까요?

식 : $16\times\frac{3}{4}=12$ 답 : 12장

(사용한 도화지의 수)=(전체 도화지의 수)×$\frac{3}{4}$

① 22 kg이 들어 있는 쌀이 한 자루 있습니다. 쌀을 한 자루의 $\frac{1}{6}$만큼 먹었을 때 먹은 쌀은 몇 kg일까요?

식 : $22\times\frac{1}{6}=3\frac{2}{3}$ 답 : $3\frac{2}{3}$ kg

② 승재는 구슬 56개를 가지고 있습니다. 이 중에서 구슬치기를 하여 전체의 $\frac{3}{8}$을 잃었습니다. 승재가 잃은 구슬은 몇 개일까요?

식 : $56\times\frac{3}{8}=21$ 답 : 21개

③ 정민이네 집에서 놀이공원까지의 거리는 6 km이고, 현수네 집에서 놀이공원까지의 거리는 정민이네 집에서 놀이공원까지의 거리의 $1\frac{8}{9}$배입니다. 현수네 집에서 놀이공원까지의 거리는 몇 km일까요?

식 : $6\times 1\frac{8}{9}=11\frac{1}{3}$ 답 : $11\frac{1}{3}$ km

P 38 ~ 39

3일 진분수의 곱셈

분수의 곱셈은 분자는 분자끼리, 분모는 분모끼리 곱해.

2가지 방법으로 계산해 보세요.

◎ 방법 1 $\frac{3}{8}\times\frac{4}{5}=\frac{3\times4}{8\times5}=\frac{\cancel{12}^{3}}{\cancel{40}_{10}}=\frac{3}{10}$

방법 2 $\frac{3}{8}\times\frac{4}{5}=\frac{3\times\cancel{4}^{1}}{\cancel{8}_{2}\times5}=\frac{3}{10}$

① 방법 1 $\frac{2}{7}\times\frac{5}{6}=\frac{2\times5}{7\times6}=\frac{\cancel{10}^{5}}{\cancel{42}_{21}}=\frac{5}{21}$

방법 2 $\frac{2}{7}\times\frac{5}{6}=\frac{\cancel{2}^{1}\times5}{7\times\cancel{6}_{3}}=\frac{5}{21}$

② 방법 1 $\frac{5}{9}\times\frac{3}{10}=\frac{5\times3}{9\times10}=\frac{\cancel{15}^{1}}{\cancel{90}_{6}}=\frac{1}{6}$

방법 2 $\frac{5}{9}\times\frac{3}{10}=\frac{\cancel{5}^{1}\times\cancel{3}^{1}}{\cancel{9}_{3}\times\cancel{10}_{2}}=\frac{1}{6}$

알맞은 식을 쓰고 답을 구하세요.

◎ 설탕 $\frac{5}{9}$kg 중에서 잼을 만드는 데 설탕의 $\frac{3}{7}$을 사용했다면 사용한 설탕은 몇 kg일까요?

식: $\frac{5}{9}\times\frac{3}{7}=\frac{5}{21}$ 답: $\frac{5}{21}$ kg

(사용한 설탕의 양) = (전체 설탕의 양) × $\frac{3}{7}$

① 영지는 오늘 $\frac{3}{4}$시간 동안 스마트폰을 사용하였습니다. 스마트폰을 사용한 시간 중 $\frac{2}{3}$는 게임을 하였다면 게임을 몇 시간 동안 하였을까요?

식: $\frac{3}{4}\times\frac{2}{3}=\frac{1}{2}$ 답: $\frac{1}{2}$ 시간

② 길이가 $\frac{5}{6}$ m인 철사의 $\frac{5}{6}$를 사용하였습니다. 사용한 철사는 몇 m일까요?

식: $\frac{5}{6}\times\frac{5}{6}=\frac{25}{36}$ 답: $\frac{25}{36}$ m

③ 민재네 학교 도서관에 있는 책의 $\frac{2}{5}$는 동화책이고, 동화책의 $\frac{1}{6}$은 영어동화책입니다. 영어동화책은 도서관에 있는 책 전체의 얼마일까요?

식: $\frac{2}{5}\times\frac{1}{6}=\frac{1}{15}$ 답: $\frac{1}{15}$

P 40 ~ 41

4일 여러 가지 분수의 곱셈(1)

세 분수의 곱셈은 분자는 분자끼리, 분모는 분모끼리 곱해.

2가지 방법으로 계산해 보세요.

◎ 방법 1 $\frac{1}{2}\times\frac{1}{4}\times\frac{2}{3}=\frac{1\times1\times2}{2\times4\times3}=\frac{\cancel{2}^{1}}{\cancel{24}_{12}}=\frac{1}{12}$

방법 2 $\frac{1}{2}\times\frac{1}{4}\times\frac{2}{3}=\frac{1\times1\times\cancel{2}^{1}}{\cancel{2}_{1}\times4\times3}=\frac{1}{12}$

① 방법 1 $\frac{1}{2}\times\frac{3}{5}\times\frac{5}{7}=\frac{1\times3\times5}{2\times5\times7}=\frac{\cancel{15}^{3}}{\cancel{70}_{14}}=\frac{3}{14}$

방법 2 $\frac{1}{2}\times\frac{3}{5}\times\frac{5}{7}=\frac{1\times3\times\cancel{5}^{1}}{2\times\cancel{5}_{1}\times7}=\frac{3}{14}$

② 방법 1 $\frac{1}{3}\times\frac{2}{5}\times\frac{3}{8}=\frac{1\times2\times3}{3\times5\times8}=\frac{\cancel{6}^{1}}{\cancel{120}_{20}}=\frac{1}{20}$

방법 2 $\frac{1}{3}\times\frac{2}{5}\times\frac{3}{8}=\frac{1\times\cancel{2}^{1}\times\cancel{3}^{1}}{\cancel{3}_{1}\times5\times\cancel{8}_{4}}=\frac{1}{20}$

알맞은 식을 쓰고 답을 구하세요.

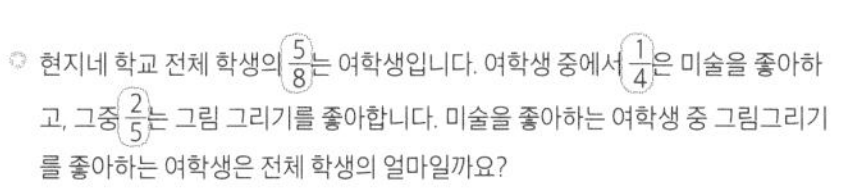
◎ 현지네 학교 전체 학생의 $\frac{5}{8}$는 여학생입니다. 여학생 중에서 $\frac{1}{4}$은 미술을 좋아하고, 그중 $\frac{2}{5}$는 그림 그리기를 좋아합니다. 미술을 좋아하는 여학생 중 그림그리기를 좋아하는 여학생은 전체 학생의 얼마일까요?

식: $\frac{5}{8}\times\frac{1}{4}\times\frac{2}{5}=\frac{1}{16}$ 답: $\frac{1}{16}$

(그림 그리기를 좋아하는 여학생 수) = (전체 학생 수) × $\frac{5}{8}\times\frac{1}{4}\times\frac{2}{5}$

① 길이가 $\frac{5}{6}$ m인 끈의 $\frac{1}{5}$을 자른 후 그중에서 $\frac{1}{2}$을 사용했습니다. 사용한 부분의 길이는 몇 m일까요?

식: $\frac{5}{6}\times\frac{1}{5}\times\frac{1}{2}=\frac{1}{12}$ 답: $\frac{1}{12}$ m

② 민규네 반 학생의 $\frac{2}{5}$는 남학생이고 남학생 중 $\frac{3}{8}$은 수학을 좋아하며 그중 $\frac{5}{6}$는 국어도 좋아합니다. 수학을 좋아하는 남학생 중 국어를 좋아하는 남학생은 전체 학생의 얼마일까요?

식: $\frac{2}{5}\times\frac{3}{8}\times\frac{5}{6}=\frac{1}{8}$ 답: $\frac{1}{8}$

③ 떨어진 높이의 $\frac{1}{3}$만큼 튀어오르는 공이 있습니다. 이 공을 $\frac{6}{11}$ m의 높이에서 떨어뜨렸습니다. 공이 땅에 2번 닿았다가 튀어올랐을 때의 높이는 몇 m일까요?

식: $\frac{6}{11}\times\frac{1}{3}\times\frac{1}{3}=\frac{2}{33}$ 답: $\frac{2}{33}$ m

P 42 ~ 43

5일 여러 가지 분수의 곱셈(2)

먼저 가분수로 바꾼 후
분자는 분자끼리, 분모는
분모끼리 곱하여 계산해.

빈칸에 알맞은 수를 써넣으세요.

◎ $2\frac{1}{4}\times1\frac{2}{3}=\frac{9}{4}\times\frac{5}{3}=\frac{\overset{3}{\cancel{9}}\times5}{4\times\underset{1}{\cancel{3}}}=\frac{15}{4}=3\frac{3}{4}$

① $1\frac{3}{5}\times2\frac{3}{4}=\frac{8}{5}\times\frac{11}{4}=\frac{\overset{2}{\cancel{8}}\times11}{5\times\underset{1}{\cancel{4}}}=\frac{22}{5}=4\frac{2}{5}$

② $4\frac{1}{3}\times2\frac{1}{10}=\frac{13}{3}\times\frac{21}{10}=\frac{13\times\overset{7}{\cancel{21}}}{\underset{1}{\cancel{3}}\times10}=\frac{91}{10}=9\frac{1}{10}$

③ $3\frac{3}{4}\times2\frac{4}{5}=\frac{15}{4}\times\frac{14}{5}=\frac{\overset{3}{\cancel{15}}\times\overset{7}{\cancel{14}}}{\underset{2}{\cancel{4}}\times\underset{1}{\cancel{5}}}=\frac{21}{2}=10\frac{1}{2}$

알맞은 식을 쓰고 답을 구하세요.

◎ 집에서 학교까지의 거리는 $1\frac{7}{8}$km이고, 집에서 공원까지의 거리는 집에서 학교까지의 거리의 $2\frac{4}{5}$배입니다. 집에서 공원까지의 거리는 몇 km일까요?

식: $1\frac{7}{8}\times2\frac{4}{5}=5\frac{1}{4}$ 답: $5\frac{1}{4}$ km

(집에서 공원까지의 거리) = (집에서 학교까지의 거리) × $2\frac{4}{5}$

① ㉮ 물통에는 물이 $3\frac{3}{7}$ L 들어 있고, ㉯ 물통에는 ㉮ 물통에 있는 물의 $1\frac{5}{12}$배만큼 있습니다. ㉯ 물통에 들어 있는 물의 양은 몇 L일까요?

식: $3\frac{3}{7}\times1\frac{5}{12}=4\frac{6}{7}$ 답: $4\frac{6}{7}$ L

② 1L의 휘발유로 $9\frac{1}{3}$ km를 갈 수 있는 자동차가 있습니다. 이 자동차에 $4\frac{2}{7}$ L의 휘발유가 있다고 할 때 몇 km를 갈 수 있을까요?

식: $9\frac{1}{3}\times4\frac{2}{7}=40$ 답: 40 km

③ 희철이의 몸무게는 $42\frac{4}{5}$ kg이고, 아버지의 몸무게는 희철이 몸무게의 $1\frac{3}{4}$ 배입니다. 아버지의 몸무게는 몇 kg일까요?

식: $42\frac{4}{5}\times1\frac{3}{4}=74\frac{9}{10}$ 답: $74\frac{9}{10}$ kg

42 E2-분수와 소수 / 3주: 분수의 곱셈 43

P 44 ~ 45

확인학습

빈칸에 알맞은 수를 써넣으세요.

① $\frac{5}{8}\times\frac{3}{10}=\frac{\overset{1}{\cancel{5}}\times3}{8\times\underset{2}{\cancel{10}}}=\frac{3}{16}$

② $\frac{1}{7}\times\frac{3}{5}\times\frac{7}{9}=\frac{1\times\overset{1}{\cancel{3}}\times\overset{1}{\cancel{7}}}{\underset{1}{\cancel{7}}\times5\times\underset{3}{\cancel{9}}}=\frac{1}{15}$

③ $3\frac{1}{6}\times2\frac{1}{4}=\frac{19}{6}\times\frac{9}{4}=\frac{19\times\overset{3}{\cancel{9}}}{\underset{2}{\cancel{6}}\times4}=\frac{57}{8}=7\frac{1}{8}$

알맞은 식을 쓰고 답을 구하세요.

④ 우유가 $\frac{1}{8}$ L씩 들어 있는 컵이 3개 있습니다. 우유는 모두 몇 L일까요?

식: $\frac{1}{8}\times3=\frac{3}{8}$ 답: $\frac{3}{8}$ L

⑤ 한 명이 피자 한 판의 $\frac{3}{10}$씩 먹으려고 합니다. 20명이 먹으려면 피자는 모두 몇 판이 필요할까요?

식: $\frac{3}{10}\times20=6$ 답: 6판

알맞은 식을 쓰고 답을 구하세요.

⑥ 색종이 24장이 있습니다. 이 중 $\frac{5}{6}$를 사용했다면 사용한 색종이는 몇 장일까요?

식: $24\times\frac{5}{6}=20$ 답: 20장

⑦ 8 kg이 들어 있는 사과가 한 상자 있습니다. 사과를 한 상자의 $\frac{7}{12}$만큼 먹었을 때 먹은 사과은 몇 kg일까요?

식: $8\times\frac{7}{12}=4\frac{2}{3}$ 답: $4\frac{2}{3}$ kg

⑧ 밀가루 $\frac{7}{8}$ kg 중에서 빵을 만드는 데 밀가루의 $\frac{9}{14}$를 사용했다면 사용한 밀가루는 몇 kg일까요?

식: $\frac{7}{8}\times\frac{9}{14}=\frac{9}{16}$ 답: $\frac{9}{16}$ kg

⑨ 길이가 $\frac{3}{10}$ m인 색 테이프의 $\frac{5}{9}$를 사용하였습니다. 사용한 색 테이프는 몇 m일까요?

식: $\frac{3}{10}\times\frac{5}{9}=\frac{1}{6}$ 답: $\frac{1}{6}$ m

44 E2-분수와 소수 / 3주: 분수의 곱셈 45

P 46

확인학습

알맞은 식을 쓰고 답을 구하세요.

⑩ 주현이네 학교 전체 학생의 $\frac{4}{7}$는 여학생입니다. 여학생 중에서 $\frac{1}{4}$은 음악을 좋아하고, 그중 $\frac{2}{3}$는 피아노를 좋아합니다. 음악을 좋아하는 여학생 중 피아노를 좋아하는 여학생은 전체 학생의 얼마일까요?

식 : $\frac{4}{7} \times \frac{1}{4} \times \frac{2}{3} = \frac{2}{21}$　　답 : $\frac{2}{21}$

⑪ 길이가 $\frac{3}{8}$ m인 철사의 $\frac{5}{6}$를 자른 후 그중에서 $\frac{2}{5}$를 사용했습니다. 사용한 부분의 길이는 몇 m일까요?

식 : $\frac{3}{8} \times \frac{5}{6} \times \frac{2}{5} = \frac{1}{8}$　　답 : $\frac{1}{8}$ m

⑫ ㉮ 물통에는 물이 $2\frac{2}{5}$ L 들어 있고 ㉯ 물통에는 ㉮ 물통에 있는 물의 $1\frac{2}{3}$배만큼 있습니다. ㉯ 물통에 들어 있는 물의 양은 몇 L일까요?

식 : $2\frac{2}{5} \times 1\frac{2}{3} = 4$　　답 : 4 L

⑬ 집에서 박물관까지의 거리는 $8\frac{1}{4}$ km이고, 집에서 과학관까지의 거리는 집에서 박물관까지의 거리의 $2\frac{1}{3}$배입니다. 집에서 과학관까지의 거리는 몇 km일까요?

식 : $8\frac{1}{4} \times 2\frac{1}{3} = 19\frac{1}{4}$　　답 : $19\frac{1}{4}$ km

46 E2-분수와 소수

4주 소수의 곱셈

P 48 ~ 49

1일 (소수)×(자연수)

이이나 0.01의 개수를 세어 계산할 수 있어.

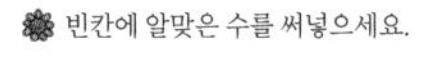

빈칸에 알맞은 수를 써넣으세요.

⊙ 0.3 × 4 = 0.1 × [3] × 4 = 0.1 × [12]

0.1이 모두 [12] 개이므로 0.3 × 4 = [1.2] 입니다.

① 0.7 × 5 = 0.1 × [7] × 5 = 0.1 × [35]

0.1이 모두 [35] 개이므로 0.7 × 5 = [3.5] 입니다.

② 0.61 × 4 = 0.01 × [61] ×4 = 0.01 × [244]

0.01이 모두 [244] 개이므로 0.61 × 4= [2.44] 입니다.

③ 1.2 × 3 = 0.1 × [12] × 3 = 0.1 × [36]

0.1이 모두 [36] 개이므로 1.2 × 3 = [3.6] 입니다.

④ 2.39 × 2 = 0.01 × [239] × 2 = 0.01 × [478]

0.01이 모두 [478] 개이므로 2.39 × 2= [4.78] 입니다.

알맞은 식을 쓰고 답을 구하세요.

⊙ 한 권의 무게가 0.7 kg인 영어사전이 있습니다. 영어사전 6권의 무게는 모두 몇 kg일까요?

식 : 0.7×6=4.2　답 : 4.2 kg

(영어사전의 총 무게) = (영어사전 1권의 무게) × (영어사전 수)

① 송이는 매일 아침마다 0.8 km씩 달리기를 합니다. 송이가 3월 한 달 동안 달린 거리는 모두 몇 km일까요?

식 : 0.8×31=24.8　답 : 24.8 km

② 주현이는 길이가 2.9 m인 리본끈을 4개 샀습니다. 주현이가 산 리본끈의 길이는 모두 몇 m일까요?

식 : 2.9×4=11.6　답 : 11.6 m

③ 선생님께서 밀가루를 한 모둠에 1.85 kg씩 5모둠에 나누어 주셨습니다. 선생님께서 나누어 주신 밀가루는 모두 몇 kg일까요?

식 : 1.85×5=9.25　답 : 9.25 kg

P 50 ~ 51

2일 (자연수)×(소수)

곱하는 수가 $\frac{1}{10}$배 되면 계산 결과도 $\frac{1}{10}$배가 돼.

빈칸에 알맞은 수를 써넣으세요.

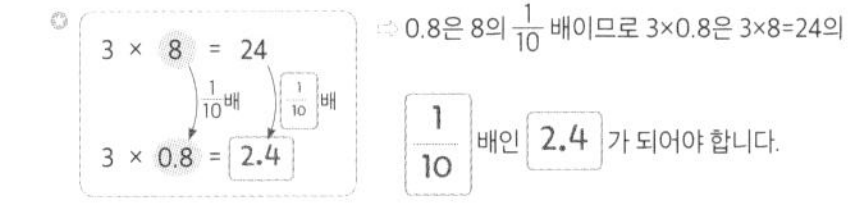

⊙ 3 × 8 = 24 → ($\frac{1}{10}$배), ([$\frac{1}{10}$]배) → 3 × 0.8 = [2.4]

⇨ 0.8은 8의 $\frac{1}{10}$ 배이므로 3×0.8은 3×8=24의 [$\frac{1}{10}$] 배인 [2.4] 가 되어야 합니다.

① 6 × 12 = 72 → ($\frac{1}{100}$배), ([$\frac{1}{100}$]배) → 6 × 0.12 = [0.72]

⇨ 0.12는 12의 $\frac{1}{100}$ 배이므로 6×0.12는 6×12=72의 [$\frac{1}{100}$] 배인 [0.72] 가 되어야 합니다.

② 7 × 15 = 105 → ($\frac{1}{10}$배), ([$\frac{1}{10}$]배) → 7 × 1.5 = [10.5]

⇨ 1.5는 15의 $\frac{1}{10}$ 배이므로 7×1.5는 7×15=105의 [$\frac{1}{10}$] 배인 [10.5] 가 되어야 합니다.

③ 4 × 217 = 868 → ($\frac{1}{100}$배), ([$\frac{1}{100}$]배) → 4 × 2.17 = [8.68]

⇨ 2.17은 217의 $\frac{1}{100}$ 배이므로 4×2.17은 4×217=868의 [$\frac{1}{100}$] 배인 [8.68] 이 되어야 합니다.

알맞은 식을 쓰고 답을 구하세요.

⊙ 굵기가 일정한 나무토막 1 m의 무게는 8 kg입니다. 똑같은 나무토막 0.4 m로 장난감을 만들었다면 장난감을 만드는 데 사용한 나무토막의 무게는 몇 kg일까요?

식 : 8×0.4=3.2　답 : 3.2 kg

(사용한 나무토막의 무게)
= (나무토막 1m의 무게) × (사용한 나무토막의 길이)

① 희진이네 교실에는 세로가 2 m인 직사각형 모양의 게시판이 있습니다. 이 게시판의 가로가 세로의 2.6배일 때, 게시판의 가로는 몇 m일까요?

식 : 2×2.6=5.2　답 : 5.2 m

② 미술시간에 학생들에게 나누어 준 점토는 4 kg의 0.75배입니다. 학생들에게 나누어 준 점토는 모두 몇 kg일까요?

식 : 4×0.75=3　답 : 3 kg

③ 성제의 몸무게는 46 kg입니다. 수성에서 잰 몸무게는 지구에서 잰 몸무게의 약 0.38배라 할 때, 수성에서 성제의 몸무게는 약 kg일까요?

식 : 46×0.38=17.48　답 : 약 17.48 kg

P 52 ~ 53

3일 소수의 곱셈(1)

빈칸에 알맞은 수를 써넣으세요.

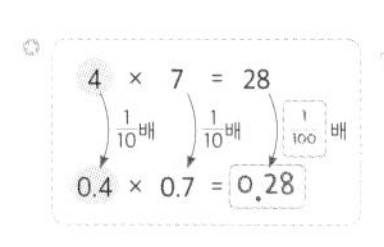

0.4는 4의 $\frac{1}{10}$ 배, 0.7은 7의 $\frac{1}{10}$ 배이므로

0.4×0.7은 4×7=28의 $\frac{1}{100}$ 배인

0.28 이 됩니다.

① 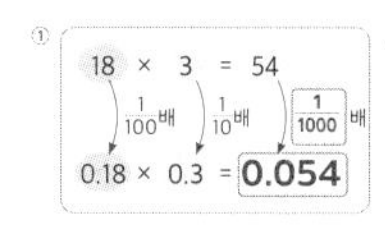

0.18은 18의 $\frac{1}{100}$ 배, 0.3은 3의 $\frac{1}{10}$ 배이므로

0.18×0.3은 18×3=54의 $\frac{1}{1000}$ 배인

0.054 가 됩니다.

② 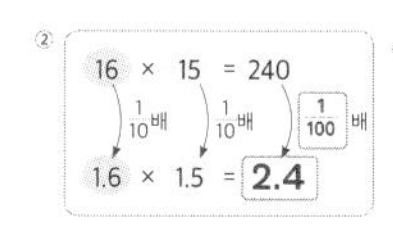

1.6은 16의 $\frac{1}{10}$ 배, 1.5는 15의 $\frac{1}{10}$ 배이므로

1.6×1.5는 16×15=240의 $\frac{1}{100}$ 배인

2.4 가 됩니다.

③ 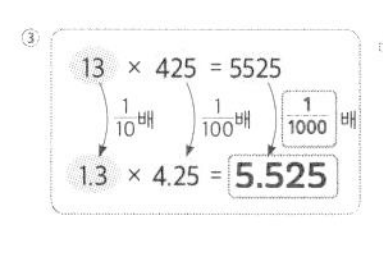

1.3은 13의 $\frac{1}{10}$ 배, 4.25는 425의 $\frac{1}{100}$ 배이므로

1.3×4.25는 13×425=5525의 $\frac{1}{1000}$ 배인

5.525 가 됩니다.

알맞은 식을 쓰고 답을 구하세요.

1시간 동안 0.6 km를 달리는 장난감 기차가 있습니다. 이 장난감 기차가 0.8시간 동안 달린 거리는 몇 km일까요?

식 : 0.6×0.8=0.48 답 : 0.48 km

① 국어사전의 무게가 0.5 kg입니다. 동화책의 무게는 국어사전의 무게의 0.9배일 때 동화책의 무게는 몇 kg일까요?

식 : 0.5×0.9=0.45 답 : 0.45 kg

② 밀가루 한 봉지는 0.7 kg입니다. 그중 0.92만큼이 탄수화물 성분일 때 탄수화물 성분은 몇 kg일까요?

식 : 0.7×0.92=0.644 답 : 0.644 kg

③ 한 시간에 물이 0.63 L 나오는 정수기가 있습니다. 이 정수기로 0.4시간 동안 물을 받으면 받는 물은 몇 L일까요?

식 : 0.63×0.4=0.252 답 : 0.252 L

P 54 ~ 55

4일 소수의 곱셈(2)

알맞은 식을 쓰고 답을 구하세요.

휘발유 1 L로 8.6 km를 가는 자동차가 있습니다. 이 자동차가 3.4 L의 휘발유로 갈 수 있는 거리는 몇 km일까요?

식 : 8.6×3.4=29.24 답 : 29.24 km

① 민서는 1.8 m짜리 철사의 0.35만큼 사용했습니다. 민서가 사용한 철사의 길이는 몇 m일까요?

식 : 1.8×0.35=0.63 답 : 0.63 m

② 굵기가 일정한 통나무 1 m의 무게는 4.86 kg입니다. 이 통나무 5.2 m의 무게는 몇 kg일까요?

식 : 4.86×5.2=25.272 답 : 25.272 kg

③ 수현이가 태어났을 때의 몸무게는 3.6 kg이었습니다. 1년 후의 몸무게는 태어났을 때의 몸무게의 2.85배가 되었습니다. 태어난 지 1년 후의 몸무게는 몇 kg일까요?

식 : 3.6×2.85=10.26 답 : 10.26 kg

알맞은 풀이를 쓰고 답을 구하세요.

한 시간에 72.5 km를 달리는 자동차가 같은 빠르기로 2.2시간 동안 달리는 거리는 몇 km일까요?

풀이 : (자동차가 2.2시간 동안 달리는 거리)
= (한 시간 동안 달리는 거리) × (달리는 시간)
= 72.5 × 2.2 = 159.5 (km)

답 : 159.5 km

① 굵기가 일정한 철근 1 m의 무게가 0.8 kg입니다. 이 철근 3.4 m의 무게는 몇 kg일까요?

풀이 : (철근 3.4m의 무게)
= (철근 1m의 무게) × (철근의 길이)
= 0.8 × 3.4 = 2.72 (kg)

답 : 2.72 kg

② 1초에 0.94 L의 물이 나오는 수도가 있습니다. 이 수도에서 5.6초 동안 나오는 물의 양은 몇 L일까요?

풀이 : (5.6초 동안 나오는 물의 양)
= (1초에 나오는 물의 양) × (물이 나온 시간)
= 0.94 × 5.6 = 5.264 (L)

답 : 5.264 L

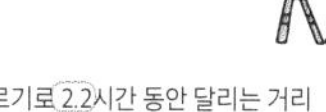

4주 소수의 곱셈

P 56 ~ 57

5일 곱의 소수점의 위치

(곱하는 두 수의 소수점 아래 자리 수의 합)=(계산 결과의 소수점 아래 자리 수)

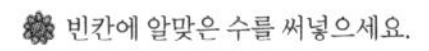

빈칸에 알맞은 수를 써넣으세요.

◎ 24×16=384이므로
⇨ 2.4×1.6= 3.84 이고, 0.24×1.6= 0.384 입니다.

① 28×42=1176이므로
⇨ 2.8×0.42= 1.176 이고, 0.28×0.42= 0.1176 입니다.

② 352×28=9856이므로
⇨ 3.52×2.8= 9.856 이고, 3.52×0.28= 0.9856 입니다.

③ 513×17=8721이므로
⇨ 51.3×0.17= 8.721 이고, 0.513×1.7= 0.8721 입니다.

④ 25×127=3175이므로
⇨ 2.5×12.7= 31.75 이고, 0.25×1.27= 0.3175 입니다.

다음 물음에 답하세요.

◎ 어느 빵집에 0.057 kg짜리 빵 10개와 5.4 g짜리 쿠키 100개가 있습니다. 빵 10개와 쿠키 100개 중 어느 것이 더 무거울까요?

빵 10개의 무게는 0.057×10=0.57 (kg)
1kg은 1000g이므로 0.57kg은 0.57×1000=570g
쿠키 100개의 무게는 5.4×100=540 (g)
따라서 570 > 540 이므로 빵 10개가 더 무겁습니다.

답 : 빵 10개

① 효민이는 1.4 km 달리기를 3일 하였고, 준구는 500 m 달리기를 일주일 동안 매일 했습니다. 두 사람 중 더 많이 달린 사람은 누구일까요?

효민이가 달린 거리는 **1.4×3=4.2** (km)
500 m는 **0.5** km 이므로
준구가 달린 거리는 **0.5×7=3.5** (km)

답 : 효민

② 정안이는 주스를 2주일 동안 매일 0.32 L씩 마시고, 수아는 주스를 10일 동안 매일 420 mL씩 마셨습니다. 주스를 더 많이 마신 사람은 누구일까요?

정안이가 마신 주스는 **0.32×14=4.48** (L)
420 mL는 **0.42** L 이므로
수아가 마신 주스는 **0.42×10=4.2** (L)

답 : 정안

③ 민주는 1 m 50 cm짜리 막대 65개를 가지고 있고, 미희는 0.9 m짜리 막대 100개를 가지고 있습니다. 막대를 겹치지 않고 직선으로 연결하였을 때 더 길게 만들 수 있는 사람은 누구일까요?

1 m **50** cm는 **1.5** m이므로
민주가 가진 막대의 총 길이는 **1.5×65=97.5** (m)
미희가 가진 막대의 총 길이는 **0.9×100=90** (m)

답 : 민주

56 E2-분수와 소수 / 4주: 소수의 곱셈 57

P 58 ~ 59

확인학습

알맞은 식을 쓰고 답을 구하세요.

① 한 권의 무게가 0.8 kg인 수학 익힘책이 있습니다. 수학 익힘책 7권의 무게는 모두 몇 kg일까요?

식 : 0.8×7=5.6 답 : 5.6 kg

② 슬기는 길이가 3.4 m인 철사를 8개 샀습니다. 슬기가 산 철사의 길이는 모두 몇 m일까요?

식 : 3.4×8=27.2 답 : 27.2 m

③ 회정이가 지금 키우는 강아지를 처음 분양받았을 때 무게가 3 kg이었는데 지금은 처음의 4.7배가 되었습니다. 강아지의 무게는 몇 kg일까요?

식 : 3×4.7=14.1 답 : 14.1 kg

④ 광일이가 동생에게 준 리본 끈의 길이는 6 m의 0.65배입니다. 동생에게 준 리본 끈의 길이는 몇 m일까요?

식 : 6×0.65=3.9 답 : 3.9 m

알맞은 식을 쓰고 답을 구하세요.

⑤ 1시간 동안 0.4 km를 움직이는 장난감 자동차가 있습니다. 이 장난감 자동차가 0.9시간 동안 움직인 거리는 몇 km일까요?

식 : 0.4×0.9=0.36 답 : 0.36 km

⑥ 어느 딸기 잼 한 통은 0.8 kg입니다. 그중 0.74만큼이 딸기일 때 딸기는 몇 kg일까요?

식 : 0.8×0.74=0.592 답 : 0.592 kg

⑦ 경유 1 L로 7.2 km를 가는 승합차가 있습니다. 이 승합차가 6.5 L의 경유로 갈 수 있는 거리는 몇 km일까요?

식 : 7.2×6.5=46.8 답 : 46.8 km

⑧ 나무 토막 1 m의 무게는 2.43 kg입니다. 이 나무 토막과 굵기가 같은 나무 토막 4.9 m의 무게는 몇 kg일까요?

식 : 2.43×4.9=11.907 답 : 11.907 kg

58 E2-분수와 소수 / 4주: 소수의 곱셈 59

P 60

확인학습

빈칸에 알맞은 수를 써넣으세요.

⑨ 57×19=1083이므로

⇨ 5.7×1.9= **10.83** 이고, 0.57×0.19= **0.1083** 입니다.

⑩ 831×42=34902이므로

⇨ 83.1×0.42= **34.902** 이고, 0.831×4.2= **3.4902** 입니다.

다음 물음에 답하세요.

⑪ 소현이는 1.5 km 달리기를 4일 하였고, 규민이는 800 m 달리기를 일주일 동안 매일 했습니다. 두 사람 중 더 많이 달린 사람은 누구일까요?

소현이가 달린 거리는 **1.5×4=6** (km)
800 m는 **0.8** km이므로
규민이가 달린 거리는 **0.8×7=5.6** (km)

답 : 소현

⑫ 우진이는 우유를 2주일 동안 매일 0.46 L씩 마셨고, 금현이는 우유를 10일 동안 매일 540 mL씩 마셨습니다. 우유를 더 많이 마신 사람은 누구일까요?

우진이가 마신 우유는 **0.46×14=6.44** (L)
540 mL는 **0.54** L이므로
금현이가 마신 우유는 **0.54×10=5.4** (L)

답 : 우진

60 E2-분수와 소수

5주 진단평가

P 62 ~ 63

1회차 진단평가

월 일 | 제한 시간 15분 | 맞은 개수 / 7개

✎ 수 카드를 사용하여 크기가 같은 분수를 만들어 보세요.

① 수 카드를 사용하여 $\frac{3}{5}$과 크기가 같은 분수를 만들어 보세요.

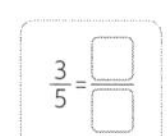

10 15 24 25 35

답 : $\frac{15}{25}$

② 수 카드를 사용하여 $\frac{15}{18}$와 크기가 같은 분수를 만들어 보세요.

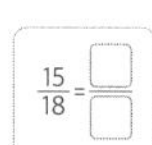

16 24 35 36 42

답 : $\frac{35}{42}$

✎ 알맞은 풀이를 쓰고 답을 구하세요.

③ 물이 $3\frac{3}{5}$ L 들어 있는 물통에서 $\frac{3}{4}$ L의 물을 따라 썼습니다. 지금 물통에 들어 있는 물은 몇 L일까요?

풀이 : (지금 물통에 들어 있는 물의 들이)
= (처음 들어 있던 물의 들이) − (사용한 물의 들이)
$= 3\frac{3}{5} - \frac{3}{4} = 2\frac{17}{20}$ (L)

답 : $2\frac{17}{20}$ L

✎ 알맞은 식을 쓰고 답을 구하세요.

④ 한 명이 철사를 $\frac{3}{8}$ m씩 사용하려고 합니다. 12명이 사용하면 철사는 모두 몇 m 필요할까요?

식 : $\frac{3}{8} \times 12 = 4\frac{1}{2}$ 답 : $4\frac{1}{2}$ m

⑤ 초콜릿 한 상자의 무게는 $1\frac{1}{4}$ kg입니다. 초콜릿 4상자의 무게는 모두 몇 kg일까요?

식 : $1\frac{1}{4} \times 4 = 5$ 답 : 5 kg

✎ 다음 물음에 답하세요.

⑥ 어느 빵집에 0.082 kg짜리 빵 10개와 16.3 g짜리 쿠키 50개가 있습니다. 빵 10개와 쿠키 50개 중 어느 것이 더 무거울까요?

빵 10개의 무게는 0.082×10=0.82 (kg)
16.3 g은 0.0163 kg이므로
쿠키 50개의 무게는 0.0163×50=0.815 (kg)

답 : 빵 10개

⑦ 일우는 1 m 20 cm짜리 리본 45개를 가지고 있고, 도희는 0.8 m짜리 리본 75개를 가지고 있습니다. 리본을 겹치지 않고 직선으로 연결하였을 때 더 길게 만들 수 있는 사람은 누구일까요?

1 m 20 cm는 1.2 m이므로
일우가 가지고 있는 리본은 1.2×45=54 (m),
도희가 가지고 있는 리본은 0.8×75=60 (m)

답 : 도희

62 E2-분수와 소수 진단평가 63

P 64 ~ 65

2회차 진단평가

월 일 | 제한 시간 15분 | 맞은 개수 / 8개

✎ 다음 물음에 답하세요.

① $\frac{13}{18}$보다 작은 분수 중에서 분모가 18인 기약분수는 모두 몇 개일까요?

$\frac{1}{18}, \frac{5}{18}, \frac{7}{18}, \frac{11}{18}$

답 : 4개

② $\frac{19}{30}$보다 큰 진분수 중에서 분모가 30인 기약분수는 모두 몇 개일까요?

$\frac{23}{30}, \frac{29}{30}$

답 : 2개

✎ 알맞은 식을 쓰고 답을 구하세요.

③ 길이가 $\frac{4}{9}$ m인 파란색 리본과 $\frac{1}{6}$ m인 주황색 리본을 겹치지 않게 이었습니다. 이은 리본의 길이는 모두 몇 m일까요?

식 : $\frac{4}{9} + \frac{1}{6} = \frac{11}{18}$ 답 : $\frac{11}{18}$ m

④ 과수원에서 살구를 재석이는 $\frac{3}{4}$ kg 땄고, 혜린이는 $\frac{7}{10}$ kg 땄습니다. 재석이와 혜린이가 딴 살구는 모두 몇 kg일까요?

식 : $\frac{3}{4} + \frac{7}{10} = 1\frac{9}{20}$ 답 : $1\frac{9}{20}$ kg

✎ 알맞은 식을 쓰고 답을 구하세요.

⑤ 준호네 반 남학생은 16명이고 남학생의 $\frac{5}{8}$는 안경을 쓰고 있습니다. 안경을 쓴 남학생은 몇 명일까요?

식 : $16 \times \frac{5}{8} = 10$ 답 : 10명

⑥ 현진이네 집에서 은행까지의 거리는 4 km이고, 민주네 집에서 은행까지의 거리는 현진이네 집에서 은행까지의 거리의 $1\frac{5}{6}$배입니다. 민주네 집에서 은행까지의 거리는 몇 km일까요?

식 : $4 \times 1\frac{5}{6} = 7\frac{1}{3}$ 답 : $7\frac{1}{3}$ km

✎ 알맞은 식을 쓰고 답을 구하세요.

⑦ 한 시간에 75.5 km를 달리는 기차가 같은 빠르기로 1.8시간 동안 달리는 거리는 몇 km일까요?

식 : 75.5×1.8=135.9 답 : 135.9 km

⑧ 1초에 0.86 L의 물이 나오는 수도가 있습니다. 이 수도에서 5.3초 동안 나오는 물의 양은 몇 L일까요?

식 : 0.86×5.3=4.558 답 : 4.558 L

64 E2-분수와 소수 진단평가 65

P 66 ~ 67

3회차 진단평가

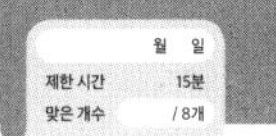

✎ 다음 물음에 답하세요.

① $\frac{2}{3}$보다 크고 $\frac{6}{7}$보다 작은 분수 중에서 분모가 21인 분수는 모두 몇 개일까요?

$\frac{15}{21}$, $\frac{16}{21}$, $\frac{17}{21}$ 답 : 3개

② $\frac{1}{6}$과 $\frac{3}{8}$ 사이에 있는 분수 중에서 분모가 24인 기약분수는 모두 몇 개일까요?

$\frac{5}{24}$, $\frac{7}{24}$ 답 : 2개

✎ 알맞은 식을 쓰고 답을 구하세요.

③ 우유 $\frac{7}{8}$ L 중에서 $\frac{5}{12}$ L를 마셨습니다. 남은 우유는 몇 L일까요?

식 : $\frac{7}{8}-\frac{5}{12}=\frac{11}{24}$ 답 : $\frac{11}{24}$ L

④ 소연이와 주미가 달리기를 했습니다. 소연이는 $\frac{11}{15}$ km를 달렸고, 주미는 $\frac{3}{10}$ km를 달렸습니다. 소연이는 주미보다 몇 km 더 달렸을까요?

식 : $\frac{11}{15}-\frac{3}{10}=\frac{13}{30}$ 답 : $\frac{13}{30}$ km

✎ 알맞은 식을 쓰고 답을 구하세요.

⑤ 준혁이는 오늘 $\frac{5}{12}$시간 동안 컴퓨터를 사용하였습니다. 컴퓨터를 사용한 시간 중 $\frac{3}{10}$은 타자연습을 하였다면 타자연습을 몇 시간 동안 하였을까요?

식 : $\frac{5}{12}\times\frac{3}{10}=\frac{1}{8}$ 답 : $\frac{1}{8}$시간

⑥ 정후네 학교 도서관에 있는 책의 $\frac{3}{8}$은 위인전이고, 위인전의 $\frac{8}{9}$은 한국 위인전입니다. 한국 위인전은 도서관에 있는 책 전체의 얼마일까요?

식 : $\frac{3}{8}\times\frac{8}{9}=\frac{1}{3}$ 답 : $\frac{1}{3}$

✎ 알맞은 식을 쓰고 답을 구하세요.

⑦ 지우네 집에서 공원까지의 거리는 0.8 km이었는데 새로운 길이 생기면서 0.6배로 짧아졌습니다. 지우네 집에서 공원까지 가는 새로운 길의 거리는 몇 km일까요?

식 : $0.8\times0.6=0.48$ 답 : 0.48 km

⑧ 재희는 길이가 0.9 m인 철사를 가지고 있고, 희준이는 재희가 가지고 있는 철사 길이의 0.76배인 철사를 가지고 있습니다. 희준이가 가지고 있는 철사의 길이는 몇 m일까요?

식 : $0.9\times0.76=0.684$ 답 : 0.684 m

P 68 ~ 69

4회차 진단평가

월 일
제한 시간 15분
맞은 개수 /8개

✎ 다음 물음에 답하세요.

① 노란색 고무 찰흙이 $\frac{4}{9}$ kg, 파란색 고무 찰흙이 $\frac{3}{8}$ kg 있습니다. 더 적게 있는 것은 무엇일까요?

$\left(\frac{4}{9}, \frac{3}{8}\right) \Rightarrow \left(\frac{32}{72}, \frac{27}{72}\right) \Rightarrow \frac{4}{9}>\frac{3}{8}$ 답 : 파란색 고무 찰흙

② 찬우는 어제 $\frac{5}{6}$시간, 오늘 $\frac{7}{10}$시간 동안 수학 숙제를 했습니다. 어제와 오늘 중에서 수학 숙제를 더 오래 한 날은 언제일까요?

$\left(\frac{5}{6}, \frac{7}{10}\right) \Rightarrow \left(\frac{25}{30}, \frac{21}{30}\right) \Rightarrow \frac{5}{6}>\frac{7}{10}$ 답 : 어제

✎ 알맞은 식을 쓰고 답을 구하세요.

③ 민주네 집에서 은행까지의 거리는 $1\frac{2}{5}$ km이고, 은행에서 박물관까지의 거리는 $3\frac{1}{4}$ km입니다. 민주네 집에서 은행을 거쳐 박물관까지 가는 거리는 몇 km일까요?

식 : $1\frac{2}{5}+3\frac{1}{4}=4\frac{13}{20}$ 답 : $4\frac{13}{20}$ km

④ 정육점에서 소고기 $1\frac{4}{7}$ kg과 돼지고기 $2\frac{1}{2}$ kg을 샀습니다. 정육점에서 산 고기는 모두 몇 kg일까요?

식 : $1\frac{4}{7}+2\frac{1}{2}=4\frac{1}{14}$ 답 : $4\frac{1}{14}$ kg

✎ 알맞은 식을 쓰고 답을 구하세요.

⑤ 1 L의 휘발유로 $2\frac{6}{7}$ km를 갈 수 있는 자동차가 있습니다. 이 자동차에 $2\frac{4}{5}$ L의 휘발유가 있다고 할 때 몇 km를 갈 수 있을까요?

식 : $2\frac{6}{7}\times2\frac{4}{5}=8$ 답 : 8 km

⑥ 고양이의 무게는 $5\frac{1}{3}$ kg이고, 강아지의 무게는 고양이의 무게의 $1\frac{2}{7}$배입니다. 강아지의 몸무게는 몇 kg일까요?

식 : $5\frac{1}{3}\times1\frac{2}{7}=6\frac{6}{7}$ 답 : $6\frac{6}{7}$ kg

✎ 알맞은 식을 쓰고 답을 구하세요.

⑦ 하경이네 교실에는 세로가 2 m인 직사각형 모양의 칠판이 있습니다. 이 칠판의 가로가 세로의 2.9배일 때, 칠판의 가로는 몇 m일까요?

식 : $2\times2.9=5.8$ 답 : 5.8 m

⑧ 정은이네 집에서 주민센터까지의 거리는 4 km이고, 주민센터에서 서점까지의 거리는 정은이네 집에서 주민센터까지의 거리의 0.57배입니다. 주민센터에서 서점까지의 거리는 몇 km일까요?

식 : $4\times0.57=2.28$ 답 : 2.28 km

5주 진단평가

P 70 ~ 71

5회차 **진단평가**

월 일
제한 시간 10분
맞은 개수 / 8개

✎ 다음 물음에 답하세요.

① 준규는 빵 한 개를 만드는 데 밀가루를 $\frac{9}{20}$ kg 사용하였고, 설탕을 0.42 kg 사용하였습니다. 밀가루와 설탕 중에서 어느 것을 더 많이 사용했나요?

$\frac{9}{20}=\frac{45}{100}=0.45$이므로 $\frac{9}{20}>0.42$

답 : 밀가루

② 눈이 어제는 0.94cm 내렸고, 오늘은 $\frac{23}{25}$ cm 내렸습니다. 어제와 오늘 중에서 눈이 더 많이 내린 날은 언제일까요?

$\frac{23}{25}=\frac{92}{100}=0.92$이므로 $0.94>\frac{23}{25}$

답 : 어제

✎ 알맞은 식을 쓰고 답을 구하세요.

③ 밀가루 $3\frac{3}{10}$ kg 중 $1\frac{5}{8}$ kg을 사용하여 식빵을 만들었습니다. 식빵을 만들고 남은 밀가루는 몇 kg일까요?

식 : $3\frac{3}{10}-1\frac{5}{8}=1\frac{27}{40}$

답 : $1\frac{27}{40}$ kg

④ 현진이의 몸무게는 $34\frac{3}{4}$ kg이고, 원희는 현진이보다 $2\frac{5}{6}$ kg 더 가볍습니다. 원희의 몸무게는 몇 kg일까요?

식 : $34\frac{3}{4}-2\frac{5}{6}=31\frac{11}{12}$

답 : $31\frac{11}{12}$ kg

✎ 알맞은 식을 쓰고 답을 구하세요.

⑤ 민규네 반 학생의 $\frac{4}{9}$는 남학생이고, 남학생 중 $\frac{5}{6}$는 체육을 좋아하며 그중 $\frac{3}{4}$은 과학도 좋아합니다. 체육을 좋아하는 남학생 중 과학을 좋아하는 남학생은 전체 학생의 얼마일까요?

식 : $\frac{4}{9}\times\frac{5}{6}\times\frac{3}{4}=\frac{5}{18}$

답 : $\frac{5}{18}$

⑥ 떨어진 높이의 $\frac{1}{2}$만큼 튀어오르는 공이 있습니다. 이 공을 $\frac{6}{7}$ m의 높이에서 떨어뜨렸습니다. 공이 땅에 2번 닿았다가 튀어올랐을 때의 높이는 몇 m일까요?

식 : $\frac{6}{7}\times\frac{1}{2}\times\frac{1}{2}=\frac{3}{14}$

답 : $\frac{3}{14}$ m

✎ 알맞은 식을 쓰고 답을 구하세요.

⑦ 안진이는 무게가 1.6 kg인 고양이 네 마리를 키우고 있습니다. 한꺼번에 네 마리의 무게를 재면 몇 kg일까요?

식 : $1.6\times4=6.4$

답 : 6.4 kg

⑧ 수민이는 우유를 하루에 0.95 L씩 2주 동안 매일 마셨습니다. 마신 우유의 양은 모두 몇 L일까요?

식 : $0.95\times14=13.3$

답 : 13.3 L

“

The essence of mathematics
is its freedom.

”

"수학의 본질은 그 자유로움에 있다."

Georg Cantor, 게오르크 칸토어